SOUPES

SOUPES

135 RECETTES SAVOUREUSES ET INSPIRANTES PRÉSENTÉES EN 230 SUPERBES PHOTOGRAPHIES

Anne Sheasby

MODUS VIVENDI

© Anness Publishing Ltd. pour l'édition originale
© 2009 Les Publications Modus Vivendi inc. pour l'édition française

L'édition original de cet ouvrage est parue chez Lorenz Books, une division de Anness Publishing Ltd., sous le titre *Every Day Soup*

LES PUBLICATIONS MODUS VIVENDI INC.
55, rue Jean-Talon Ouest, 2e étage
Montréal (Québec) H2R 2W8
Canada

www.modusaventure.com

Directeur éditorial : Marc Alain
Conception de la couverture : Émilie Houle
Traduction : Ghislaine René de Cotret/Meyer
Révision : Nicole Blanchette
Infographie : Modus Vivendi

ISBN 978-2-89523-592-7

Dépôt légal : Bibliothèque et Archives nationales du Québec, 2009
Dépôt légal : Bibliothèque et Archives Canada, 2009

Nous reconnaissons l'aide financière du gouvernement du Canada par l'entremise du Programme d'aide au développement de l'iindustrie de l'édition (PADIÉ) pour nos activités d'éditions.

Gouvernement du Québec – Programme de crédit d'impôt pour l'édition de livres – Gestion SODEC

Imprimé à Singapour

NOTES :
Les quantités requises pour la confection des recettes sont indiquées en valeurs métriques et impériales, et sont conformes en général aux quantités standard des outils de mesure (tasse, cuillère). Suivez un seul ensemble de mesures dans une même recette, car les quantités ne sont pas interchangeables.
Les mesures (tasse ou cuillère) sont rases.
5 ml = 1 c. à thé, 15 ml = 1 c. à soupe, 250 ml = 8 oz liquides ou 1 tasse

Les températures des cuisinières électriques dans cet ouvrage sont établies en fonction des fours conventionnels. Vous devrez réduire la température d'environ 10 à 20 °C ou 20 à 40 °F si vous utilisez un four à convection. Comme les fours varient d'une marque à une autre, veuillez lire les directives du fabricant.

L'information nutritionnelle de chaque recette correspond à une portion, à moins d'indication contraire. Dans le cas où le plat donne un nombre variable de portions, par exemple de quatre à six, l'information nutritionnelle est donnée pour la plus petite portion. Les données sur le sodium excluent le sel ajouté au goût.

À moins d'avis contraire, utilisez des œufs moyens (gros aux États-Unis).

Les couvertures montrent la soupe au bœuf et à l'agneau (voir les pages 188 et 189).

REMARQUE :
Les recettes de ce livre ont été conçues à partir de produits divers qui ne sont pas nécessairement disponibles dans votre région. Les produits peuvent varier d'un pays à un autre. Veuillez tenir compte de ces différences et vérifier les équivalences.

Table des matières

Introduction

Les soupes sont des plats polyvalents qui peuvent comprendre un grand nombre d'ingrédients différents. L'un des grands attraits de la soupe est qu'on peut créer un délicieux repas maison à partir de divers aliments frais, crus, voire cuits, qu'on ajoute à un fond savoureux.

La plupart des soupes sont rapides et faciles à préparer. On combine tout simplement des légumes ou de la viande et quelques assaisonnements, comme des fines herbes ou des épices. D'autres soupes, comme celles qu'on sert lors d'occasions spéciales, demandent un peu plus de préparation. Certaines soupes sont idéales pour commencer un repas, alors que d'autres constituent des plats substantiels qu'il suffit d'accompagner d'un morceau de pain. Il y a une infinie variété de soupes. Qu'on pense aux soupes froides et rafraîchissantes d'été, comme la vichyssoise ou la soupe froide espagnole à l'avocat et au cumin, ou aux soupes consistantes remplies de légumes, de légumineuses, de pâtes ou de nouilles

idéales les journées d'hiver. Pourquoi ne pas essayer des classiques tels que la soupe aux haricots de Toscane, la soupe épicée nord-africaine ou le « laksa » malais aux crevettes ?

Les soupes qui comprennent de la volaille, de la viande, du poisson ou des crustacés servies avec du pain fournissent un repas complet. Il y en a pour tous les goûts, depuis le bouillon classique irlandais au bacon des déjeuners en famille jusqu'à la plus exotique soupe marocaine au poulet avec beurre « charmoula ».

La bisque de homard, la soupe de pétoncles et d'artichauts de Jérusalem (aussi appelés « pâtissons ») ou un

velouté de canard agrémenté d'une « relish » aux myrtilles (bleuets) conviennent parfaitement aux repas entre amis. Peu importe celle que vous choisissez, une soupe fraîche et savoureuse vaut toujours le temps et l'effort que vous consacrez à sa préparation.

L'ingrédient essentiel à toute bonne soupe est un fond bien assaisonné. Les fonds du commerce en cubes ou en poudre font gagner du temps, mais ils n'auront jamais la saveur ni la qualité d'un fond maison. Un fond est facile à

Le chili mexicain au bœuf avec nachos au fromage est un plat consistant.

La soupe aux pâtes avec boulettes de viande et basilic constitue un plat principal rassasiant.

Les amateurs de plats épicés adoreront le « chowder » de maïs et de piment rouge.

préparer et ne coûte pas cher. Une fois que vous avez votre fond, vous pouvez préparer une vaste gamme de soupes.

Rappelez-vous cependant que la qualité du fond de soupe dépend de la qualité des ingrédients utilisés. Il est impossible de réaliser un fond savoureux à partir de légumes défraîchis. Utilisez des fonds vendus dans certains supermarchés ou certaines épiceries fines si vous manquez de temps.

La confection d'une soupe requiert peu de matériel. En revanche, le robot culinaire ou le mélangeur vous faciliteront la tâche si vous désirez homogénéiser ou mettre une soupe en purée. Passer la soupe au tamis ou utiliser un mélangeur à la main sont deux autres façons d'obtenir une soupe lisse. Pour le reste, vous disposez sûrement déjà d'une casserole de bonne qualité, d'un couteau tranchant, d'une planche à découper et d'un éplucheur.

Des garnitures de fines herbes ciselées, de légumes en julienne ou une spirale de crème tracée juste avant le service suffisent à rehausser l'apparence du plus simple des plats. Les soupes peuvent être dégustées seules ou garnies de quelques croûtons croustillants ou de biscottes.

Les soupes existent dans toutes les cultures du monde, qu'il s'agisse de gombos, de potages, de bouillons, de chaudrées (chowders) ou de consommés. Avec l'arrivée de multiples ingrédients exotiques dans les épiceries fines ou certains supermarchés, rien ne vous empêche plus de faire ces délicieuses soupes à la maison.

UTILISATION DE L'OUVRAGE

Peu de mets procurent autant de plaisir qu'une bonne soupe maison, et cet ouvrage vous permet d'explorer le merveilleux monde des soupes. Chaque recette comporte des instructions faciles à suivre ainsi qu'une magnifique photo du plat fini. Le dernier chapitre donne de l'information sur les ingrédients des soupes et l'équipement nécessaire, ainsi que des conseils liés à la préparation des soupes et à diverses techniques culinaires.

Soupes légères et rafraîchissantes

Les soupes froides sont très appréciées lors des journées chaudes. Le gaspacho avec « salsa » à l'avocat est idéal pour commencer un repas d'été. Les soupes rafraîchissantes peuvent être de consistance claire ou onctueuse et contenir des ingrédients odorants ou fruités comme la mangue et le citron, ou encore des ingrédients au goût relevé et stimulant comme la citronnelle ou les feuilles de lime. L'« avgolemono » est un exemple de soupe citronnée et la soupe aigre-piquante thaïlandaise offre les saveurs typiques de coriandre et de piments forts thaïlandais.

Soupe au saumon et au concombre avec « salsa » ✓

Le goût du saumon grillé (carbonisé) relève un peu la fraîcheur de cette soupe qui,
en plus d'être appétissante, est l'introduction parfaite à un repas al fresco.

4 PORTIONS

3 concombres moyens

300 ml (1 1/4 tasse) de yaourt grec
(yaourt nature égoutté, É.-U.)

250 ml (1 tasse) de bouillon de légumes,
réfrigéré

120 ml (1/2 tasse) de crème fraîche

15 ml (1 c. à soupe) de cerfeuil frais ciselé

15 ml (1 c. à soupe) de ciboulette fraîche
ciselée

15 ml (1 c. à soupe) de persil italien frais
ciselé

1 petit piment rouge frais, épépiné et
coupé très fin

Un peu d'huile pour badigeonner

225 g (8 oz) de filet de saumon, sans la
peau et coupé en huit tranches fines

Sel et poivre noir du moulin

Cerfeuil ou ciboulette frais pour garnir

1. Éplucher deux des concombres et les couper dans le sens de la longueur. Évider et jeter les pépins. Couper la chair en gros morceaux. La mettre en purée dans un robot culinaire ou un mélangeur.

2. Ajouter le yaourt, le fond, la crème fraîche, le cerfeuil, la ciboulette et l'assaisonnement, puis mélanger jusqu'à texture lisse. Verser dans un plat, couvrir et réfrigérer.

3. Peler le concombre restant, le couper en deux et l'épépiner. Couper la chair en petits dés et mélanger au persil et au piment dans un contenant. Couvrir la « salsa » et réfrigérer jusqu'au moment de servir.

4. Badigeonner d'huile une grille ou un poêlon à frire et chauffer jusqu'à très chaud. Y déposer les morceaux de saumon et faire rôtir entre 1 et 2 minutes avant de les retourner délicatement. Griller jusqu'à cuisson complète.

5. Verser une louche de soupe dans un plat. Garnir de deux tranches de saumon puis d'une portion de « salsa » au centre. Parsemer de cerfeuil ou de ciboulette et servir.

Information nutritionnelle par portion : énergie 314 kcal ou 1 299 kJ ; protéines 17,8 g ; glucides 3,9 g (sucre = 3,7 g) ; gras 26,1 (saturés = 13,1) ; cholestérol 62 mg ; calcium 183 mg ; fibres 1,2 g ; sodium 92 mg.

Vichyssoise +++

Cette soupe froide a été créée en 1920 par Louis Diat, alors chef cuisinier à l'hôtel Ritz Carlton de New York, aux États-Unis. Il la nomma Vichyssoise en l'honneur d'un endroit, Vichy, qui se trouvait à proximité de son village natal en France.

DE 4 À 6 PORTIONS

50 g (1/4 tasse) de beurre non salé
450 g (1 lb) de poireaux coupés en minces lamelles (blanc seulement)
3 échalotes tranchées
250 g (9 oz) de pommes de terre à chair farineuse, pelées et coupées en gros morceaux
1 l (4 tasses) de fond de poulet léger ou d'eau
300 ml (1 1/4 tasse) de double-crème (épaisse)
Eau glacée (facultatif)
Un peu de jus de citron (facultatif)
Sel et poivre noir du moulin
Ciboulette fraîche ciselée pour garnir

1. Faire fondre le beurre dans un faitout lourd. Couvrir et faire cuire doucement les poireaux et l'échalote de 15 à 20 minutes pour les ramollir, sans les colorer.

2. Ajouter les pommes de terre et cuire sans couvercle pendant quelques minutes.

3. Incorporer le fond de poulet ou l'eau, et 5 ml (1 c. à thé) de sel et de poivre au goût. Mener à ébullition, puis réduire le feu et couvrir le faitout partiellement. Laisser mijoter 15 minutes jusqu'à ce que les pommes de terre soient tendres.

4. Refroidir, puis mettre en purée lisse dans un robot culinaire ou un mélangeur. Passer la soupe au tamis dans un plat et ajouter la crème. Rectifier l'assaisonnement et ajouter de l'eau glacée pour éclaircir la soupe si elle est trop épaisse.

5. Refroidir la soupe au moins 4 heures ou jusqu'à très froide. Vérifier l'assaisonnement et ajouter un jet de jus de citron si nécessaire. Verser la soupe dans des plats et parsemer de ciboulette ciselée. Servir immédiatement.

Information nutritionnelle par portion : énergie 547 kcal ou 2 260 kJ ; protéines 4,6 g ; glucides 17,7 g (sucre = 6,8 g) ; gras 51,4 (saturés = 31,7) ; cholestérol 129 mg ; calcium 79 mg ; fibres 3,6 g ; sodium 103 mg.

Gaspacho avec « salsa » à l'avocat +++

Cette soupe froide est à base de tomates, de concombres et de poivrons. Ajoutez-y une bonne cuillerée de « salsa » à l'avocat frais et quelques croûtons. Servez-la comme lunch léger ou en guise de dîner simple lors d'une chaude soirée d'été.

4 PORTIONS

2 tranches de pain de la veille
coupées en dés

600 ml (2 1/2 tasses) d'eau glacée

1 kg (2 1/4 lb) de tomates fraîches

1 concombre

1 poivron rouge divisé en deux,
évidé et coupé en morceaux

1 chile frais évidé et coupé en morceaux

2 gousses d'ail hachées

30 ml (2 c. à soupe) d'huile d'olive
extra-vierge

Jus de 1 lime et de 1 citron

Quelques gouttes de sauce piquante
(Tabasco)

Sel et poivre noir du moulin

8 glaçons pour garnir

1 poignée de feuilles de basilic
frais pour garnir

CROÛTONS

2 tranches de pain de la veille,
croûtes enlevées

1 gousse d'ail coupée en deux

15 ml (1 c. à soupe) d'huile d'olive

« SALSA » À L'AVOCAT

1 avocat mûr

5 ml (1 c. à thé) de jus de citron

2,5 cm (1 po) de concombre en dés

1/2 piment rouge, évidé et haché fin

1. Déposer le pain en dés dans un grand contenant et verser 150 ml (2/3 tasse) d'eau par-dessus. Laisser tremper 5 minutes.

2. Entre-temps, déposer les tomates dans un contenant et les couvrir d'eau bouillante. Laisser reposer 30 secondes, puis retirer la peau, évider et hacher en fins morceaux.

3. Peler le concombre, le couper en deux sur la longueur et l'épépiner à l'aide d'une cuillère. Jeter les graines. Couper la chair du concombre en petits dés.

4. Placer le pain, les tomates, le concombre, le poivron rouge, le chile, l'ail, l'huile d'olive, les jus d'agrumes et la sauce piquante dans le robot culinaire ou le mélangeur avec les 450 ml (2 tasses) d'eau froide restants. Bien mélanger en laissant quelques morceaux. Assaisonner au goût et réfrigérer de 2 à 3 heures.

5. Pour faire les croûtons, frotter le pain avec la gousse d'ail. Couper le pain en dés et le mettre dans un sac en plastique avec l'huile d'olive. Sceller le sac et remuer jusqu'à ce que tous les morceaux soient enduits d'huile.

6. Chauffer un poêlon antiadhésif et faire frire les croûtons à chaleur moyenne jusqu'à ce qu'ils soient dorés et croquants.

7. Préparer la « salsa » à l'avocat juste avant de servir. Couper l'avocat en deux, retirer le noyau, puis peler et tailler en dés. Arroser les dés d'avocat de jus de citron afin d'éviter l'oxydation. Les placer ensuite dans un plat de service, puis ajouter le concombre et le piment. Bien mélanger.

8. Déposer la soupe dans les plats à l'aide d'une louche et ajouter quelques glaçons dans chacun d'eux. Garnir chaque plat d'une grosse cuillerée de « salsa » à l'avocat. Ajouter des feuilles de basilic et quelques croûtons sur la « salsa ».

Information nutritionnelle par portion : énergie 278 kcal ou 1 166 kJ ; protéines 6,4 g ; glucides 32,2 g (sucre = 12,1 g) ; gras 14,6 (saturés = 2,6 g) ; cholestérol 0 mg ; calcium 80 mg ; fibres 5,1 g ; sodium 209 mg.

Soupe froide à la tomate et au poivron doux +++

Cette recette est inspirée du gaspacho espagnol qui combine des ingrédients crus en une soupe froide. Ici, les ingrédients sont d'abord cuits, puis refroidis.

4 PORTIONS

2 poivrons rouges coupés en deux
45 ml (3 c. à soupe) d'huile d'olive
1 oignon haché fin
2 gousses d'ail écrasées
675 g (1 1/2 lb) de tomates savoureuses
   bien mûres, coupées en morceaux
150 ml (2/3 tasse) de vin rouge
600 ml (2 1/2 tasses) de bouillon de
   légumes
Sel et poivre noir du moulin
Ciboulette fraîche ciselée pour garnir

CROÛTONS

2 tranches de pain de la veille,
   croûtes enlevées
60 ml (4 c. à soupe) d'huile d'olive

1. Couper les demi-poivrons en quartiers et évider. Placer sous le gril, pelure vers le haut, et faire griller jusqu'à ce que la pelure soit carbonisée. Transférer dans un contenant et couvrir d'une assiette.

2. Faire chauffer l'huile dans une grande casserole. Ajouter l'oignon et l'ail, et faire cuire pour ramollir. Retirer la pelure des poivrons et les hacher grossièrement. Déposer les poivrons et les tomates dans la casserole, couvrir et faire cuire à feu doux pendant 10 minutes. Ajouter le vin rouge et poursuivre la cuisson 5 minutes. Incorporer le bouillon, le sel et le poivre, et laisser mijoter 20 minutes.

3. Couper le pain en dés pour faire les croûtons. Chauffer l'huile dans un petit poêlon et faire frire le pain jusqu'à ce qu'il soit doré. Égoutter sur un essuie-tout, refroidir, puis ranger dans une boîte hermétique.

4. Mettre la soupe en purée dans un robot culinaire ou un mélangeur. Verser dans un contenant en verre propre ou dans un plat en céramique et laisser refroidir complètement avant de réfrigérer pendant au moins 3 heures. Une fois la soupe froide, assaisonner au goût. Servir la soupe dans des plats. Garnir de croûtons et de ciboulette ciselée.

Information nutritionnelle par portion : énergie 292 kcal ou 1 216 kJ ; protéines 3,4 g ; glucides 18,8 g (sucre = 11,8 g) ; gras 20,4 (saturés = 3 g) ; cholestérol 0 mg ; calcium 40 mg ; fibres 3,5 g ; sodium 92 mg.

Soupe froide à la tomate et aux fleurs de basilic ✓

*Voici une soupe au goût très frais, débordant des parfums de la tomate et du basilic
qui se marient à merveille, et garnie des petites fleurs roses et violettes du basilic.*

4 PORTIONS

15 ml (1 c. à soupe) d'huile d'olive
1 oignon haché fin
1 gousse d'ail écrasée
600 ml (2 1/2 tasses) de bouillon de
  légumes
900 g (2 lb) de tomates coupées
  en gros morceaux
20 feuilles de basilic frais
Quelques gouttes de vinaigre balsamique
Jus de 1/2 citron
150 ml (2/3 tasse) de yaourt (nature)
Sucre granulé et sel au goût

GARNITURE

30 ml (2 c. à soupe) de yaourt (nature)
8 petites feuilles de basilic
10 ml (2 c. à thé) de fleurs
  de basilic (fleurs seulement)

1. Faire chauffer l'huile dans une casserole; y ajouter l'oignon et l'ail. Laisser frire de 2 à 3 minutes pour qu'ils ramollissent et deviennent translucides. Remuer de temps à autre.

2. Ajouter dans la casserole 300 ml (1 1/4 tasse) de bouillon de légumes et les tomates hachées. Porter à ébullition. Laisser mijoter 15 minutes à feu doux. Remuer de temps à autre afin d'éviter que les ingrédients collent.

3. Laisser refroidir légèrement avant de transférer dans le robot culinaire ou le mélangeur. Mettre en purée lisse. Passer au tamis afin de retirer les graines et les pelures de tomates.

4. Remettre le mélange dans le robot et ajouter le reste du bouillon, la moitié des feuilles de basilic, le vinaigre, le jus de citron et le yaourt. Assaisonner de sucre et de sel au goût. Mettre en purée lisse. Verser dans un plat et réfrigérer.

5. Déchirer les feuilles de basilic restantes et les incorporer à la soupe. Verser dans des plats individuels. Garnir de yaourt et de quelques feuilles de basilic, puis parsemer le tout de fleurs de basilic.

Information nutritionnelle par portion : énergie 89 kcal ou 377 kJ ; protéines 3,7 g ; glucides 11 g (sucre = 10,6 g) ; gras 3,8 (saturés = 0,8 g) ; cholestérol 1 mg ; calcium 91 mg ; fibres 2,5 g ; sodium 52 mg.

Soupe froide à l'avocat et au cumin +++

L'avocat et le gaspacho sont tous deux originaires de l'Andalousie, une région de l'Espagne. Il n'est donc pas étonnant que la soupe froide à l'avocat, aussi appelée « gaspacho vert », y soit née.

4 PORTIONS

3 avocats mûrs
1 botte d'oignons verts
   (blancs seulement) nettoyés
   et hachés grossièrement
2 gousses d'ail hachées
Jus de 1 citron
1,5 ml (1/4 c. à thé) de cumin moulu
1,5 ml (1/4 c. à thé) de paprika
450 ml (près de 2 tasses) de fond
   de poulet frais, refroidi et dégraissé
300 ml (1 1/4 tasse) d'eau glacée
Sel et poivre noir du moulin
Persil italien haché grossièrement
   pour garnir

1. Commencer la préparation une demi-journée avant. Déposer la chair des avocats dans le robot culinaire ou le mélangeur. Ajouter l'oignon vert, l'ail et le jus de citron. Mettre en purée lisse.

2. Ajouter graduellement le fond de poulet. Verser la soupe dans un plat et réfrigérer.

3. Au moment de servir, incorporer l'eau glacée et assaisonner au goût d'une bonne quantité de sel et de poivre noir. Garnir de feuilles de persil et servir immédiatement.

Information nutritionnelle par portion : énergie 242 kcal ou 1 001 kJ ; protéines 2,8 g ; glucides 3 g (sucre = 1,3 g) ; gras 24,2 (saturés = 5,2 g) ; cholestérol 0 mg ; calcium 22 mg ; fibres 4,6 g ; sodium 9 mg.

Soupe à la mangue épicée et au yaourt ✓

Cette recette savoureuse et légère est servie chez **Chutney Mary,** *un restaurant anglo-indien de Londres, en Angleterre. Servez-la froide afin de bien apprécier ses parfums particuliers.*

4 PORTIONS

2 mangues mûres

15 ml (1 c. à soupe) de farine de pois chiches

120 ml (1/2 tasse) de yaourt (nature)

900 ml (3 3/4 tasses) d'eau froide

2,5 ml (1/2 c. à thé) de gingembre frais râpé

2 piments rouges, épépinés et hachés fin

30 ml (2 c. à soupe) d'huile d'olive

2,5 ml (1/2 c. à thé) de graines de moutarde

2,5 ml (1/2 c. à thé) de graines de cumin

8 feuilles de cari

Sel et poivre noir du moulin

Feuilles de menthe fraîche, déchiquetées, pour garnir

Yaourt nature au service

1. Peler les mangues, retirer le noyau et couper la chair en dés. Mettre en purée lisse dans un robot culinaire ou un mélangeur.

2. Verser dans une casserole et incorporer la farine de pois chiches, le yaourt, l'eau, le gingembre et les piments. Porter à ébullition en remuant de temps à autre. Laisser mijoter 4 ou 5 minutes jusqu'à léger épaississement. Retirer du feu.

3. Faire chauffer l'huile dans un poêlon. Ajouter les graines de moutarde et les faire cuire quelques secondes jusqu'à ce qu'elles commencent à éclater, puis incorporer les graines de cumin.

4. Ajouter les feuilles de cari et faire cuire 5 minutes.

5. Incorporer le mélange d'épices à la soupe en remuant, remettre sur la cuisinière et faire cuire 10 minutes.

6. Passer au moulin à légumes ou au tamis si désiré et assaisonnez au goût. Laisser refroidir la soupe, puis la réfrigérer au moins 1 heure.

7. Déposer la soupe à la louche dans des plats et garnir de yaourt ainsi que de feuilles de menthe déchiquetées et servir.

Information nutritionnelle par portion : énergie 121 kcal ou 508 kJ ; protéines 2,8 g ; glucides 14,7 g (sucre = 12,7 g) ; gras 6,2 g (saturés = 1 g) ; cholestérol 0 mg ; calcium 73 mg ; fibres 2,4 g ; sodium 28 mg.

Soupe glacée au cantaloup avec sorbet ✓

Utilisez divers melons pour confectionner cette soupe glacée ou ce sorbet afin de produire de subtils contrastes de saveurs et de couleurs. Entre autres, essayez le melon « Charentais », le melon « Ogen » ou le cantaloup.

DE 6 À 8 PORTIONS

2,25 kg (de 5 à 5 1/4 livres) de melon ou
    de pastèque, très mûrs
45 ml (3 c. à soupe) de jus d'orange
30 ml (2 c. à soupe) de jus de citron
Feuilles de menthe pour garnir

SORBET
25 g (2 c. à soupe) de sucre granulé
120 ml (1/2 tasse) d'eau
2,25 kg (de 5 à 5 1/4 livres) de melon
    ou de pastèque, très mûrs
Jus de 2 limes
30 ml (2 c. à soupe) de menthe fraîche hachée

1. Pour le sorbet au melon et à la menthe, déposer le sucre et l'eau dans une casserole et faire chauffer légèrement jusqu'à la dissolution du sucre. Porter à ébullition, puis laisser mijoter de 4 à 5 minutes. Retirer du feu et laisser refroidir.

2. Couper le melon en deux et épépiner. Retirer la chair. La mettre en purée dans un robot culinaire ou un mélangeur avec le sirop refroidi et le jus de lime.

3. Incorporer la menthe et verser la préparation dans une sorbetière. Suivre les directives du fabricant pour obtenir un sorbet lisse et ferme. Ou encore, verser le mélange dans un contenant allant au congélateur et surgeler jusqu'à ce que le contour soit glacé. Verser dans un robot culinaire ou un mélangeur et mettre en purée jusqu'à consistance lisse.

4. Répéter les étapes de congélation et de mise en purée deux ou trois fois jusqu'à ce que le mélange soit homogène et ferme, puis surgeler de nouveau pour raffermir.

5. Pour la soupe, préparer le melon comme indiqué à l'étape 2 et le mettre en purée dans un robot culinaire ou un mélangeur. Verser la purée dans un plat et incorporer les jus d'orange et de citron. Mettre la soupe au réfrigérateur de 30 à 40 minutes, sans la réfrigérer outre mesure pour ne pas atténuer sa saveur.

6. Verser à la louche dans des plats de service. Garnir d'une grosse cuillerée du sorbet au melon et à la menthe. Décorer d'une feuille de menthe et servir immédiatement.

Information nutritionnelle par portion : énergie 117 kcal ou 494 kJ ; protéines 3,1 g ; glucides 26 g (sucre = 26 g) ; gras 0,8 g (saturés = 0 g) ; cholestérol 0 mg ; calcium 101 mg ; fibres 5,3 g ; sodium 39 mg.

Soupe aux pois et au prosciutto

En plus d'être rapide et facile à préparer, cette soupe est légère, rafraîchissante et délicieusement onctueuse. Gagnez du temps en utilisant des pois surgelés, au lieu d'écosser les pois, sans nuire à la saveur du potage.

6 PORTIONS

25 g (2 c. à soupe) de beurre
1 poireau en rondelles
1 gousse d'ail écrasée
450 g (4 tasses) de petits pois surgelés
1,2 l (5 tasses) de bouillon de légumes
1 petite poignée de ciboulette fraîche, finement ciselée
300 ml (1 1/4 tasse) de double-crème (épaisse)

90 ml (6 c. à soupe) de yaourt grec (nature)
4 tranches de prosciutto grossièrement coupées
Sel et poivre noir du moulin
Ciboulette fraîche pour garnir

1. Faire fondre le beurre dans une casserole. Ajouter l'ail et le poireau, et laisser attendrir à feu doux de 4 à 5 minutes.

2. Incorporer les petits pois, le bouillon de légumes et la ciboulette. Porter lentement à ébullition, puis laisser mijoter 5 minutes. Mettre de côté et refroidir légèrement.

3. Mettre la soupe en purée dans un robot culinaire ou un mélangeur. Verser dans un plat et ajouter la crème en mélangeant. Assaisonnez au goût avec du sel et du poivre noir du moulin. Réfrigérer au moins 2 heures.

4. Déposer la soupe à la louche dans des plats de service et garnir chacun d'une cuillerée de yaourt grec au centre. Parsemer de morceaux de prosciutto et garnir de ciboulette avant de servir.

Information nutritionnelle par portion : énergie 378 kcal ou 1 561 kJ ; protéines 9,7 g ; glucides 10,6 g (sucre = 3,7 g) ; gras 33,5 g (saturés = 20 g) ; cholestérol 85 mg ; calcium 71 mg ; fibres 4,2 g ; sodium 198 mg.

Velouté froid de concombres et de crevettes

Si vous n'avez jamais servi de soupe froide, ce velouté de concombres et de crevettes est la recette idéale pour commencer. Garni de fines herbes fraîches, il est parfait pour toute grande occasion d'été.

25 g (2 c. à soupe) de beurre

2 échalotes françaises hachées fin

1 concombre pelé, évidé et coupé en dés

300 ml (1 1/4 tasse) de lait

225 g (8 oz) de crevettes cuites, décortiquées et nettoyées

15 ml (1 c. à soupe) de chacune des fines herbes suivantes, ciselée : menthe, aneth, ciboulette et cerfeuil

300 ml (1 1/4 tasse) de double-crème (épaisse)

Sel et poivre noir du moulin

GARNITURE

30 ml (2 c. à soupe) de crème fraîche (facultatif)

4 crevettes géantes cuites, décortiquées, nettoyées (conserver la queue)

Ciboulette et aneth frais

1. Faire fondre le beurre dans une casserole. Faire cuire l'échalote et l'ail à feu doux jusqu'à ce qu'ils soient translucides. Incorporer le concombre et continuer de cuire jusqu'à ce qu'il ait ramolli, en remuant fréquemment.

2. Ajouter le lait et porter à quasi-ébullition, puis laisser mijoter pendant 5 minutes. Mettre la soupe en purée dans un robot culinaire ou un mélangeur, et assaisonner.

3. Verser dans un grand plat et laisser refroidir. Ajouter ensuite les crevettes, les fines herbes et la crème. Couvrir et réfrigérer au moins 2 heures.

4. Pour servir, déposer le velouté à la louche dans quatre petits plats et garnir chacun d'une cuillerée de crème fraîche au centre et d'une crevette sur le côté du plat, au goût. Parsemer de quelques brins de ciboulette et placer quelques brins de fines herbes sous la crevette décorative. Servir immédiatement.

Information nutritionnelle par portion : énergie 412 kcal ou 1 704 kJ ; protéines 14,2 g ; glucides 6 g (sucre = 3,7 g) ; gras 37 g (saturés = 23 g) ; cholestérol 206 mg ; calcium 184 mg ; fibres 0,2 g ; sodium 197 mg.

Avgolemono ++

Cette soupe est très populaire en Grèce. L'utilisation d'un fond bien assaisonné est la clé de sa réussite. Ajoutez-y du riz à volonté.

4 PORTIONS

900 ml (3 3/4 tasses) de fond
   de poulet, de préférence maison
50 g (1/3 tasse comble) de riz
   à grains longs
3 jaunes d'œufs
30 à 60 ml (2 à 4 c. à soupe)
   de jus de citron
30 ml (2 c. à soupe) de persil
   frais haché fin
Sel et poivre noir frais du moulin
Tranches de citron et brins
   de persil pour garnir

1. Verser le fond dans une casserole et faire chauffer jusqu'à ce qu'il mijote, puis ajouter le riz rincé et égoutté. Faire cuire avec le couvercle mis à moitié environ 12 minutes, jusqu'à ce que le riz commence à être tendre. Assaisonner de sel et de poivre.

2. Fouetter les jaunes d'œufs dans un petit contenant, puis ajouter 30 ml (2 c. à soupe) de jus de citron, en battant sans arrêt jusqu'à ce que le mélange soit lisse et aéré. Incorporer une louche de soupe au mélange et fouetter de nouveau.

3. Retirer la soupe du feu et y verser lentement le mélange aux œufs en un fin filet, en continuant de fouetter. La soupe deviendra jaune citron et épaissira un peu.

4. Goûter et ajouter du jus de citron si désiré. Incorporer le persil. Servir immédiatement, sans chauffer de nouveau. Garnir de tranches de citron et de brins de persil.

Information nutritionnelle par portion : énergie 96 kcal ou 404 kJ ; protéines 3,3 g ; glucides 10,9 g (sucre = 0,2 g) ; gras 4,7 g (saturés = 1,2 g) ; cholestérol 151 mg ; calcium 39 mg ; fibres 0,4 g ; sodium 10 mg.

Soupe au melon d'hiver et au lotus ✓

Cette soupe rafraîchissante est préparée avec des ingrédients propres à la cuisine de l'Asie du Sud-Est. Le melon d'hiver absorbe le parfum des fines herbes alors que le lotus dégage un délicat arôme floral.

4 PORTIONS

350 g (12 oz) de melon d'hiver

25 g (1 1/2 oz) de lotus doré trempé
    20 minutes dans de l'eau chaude

Sel et poivre noir du moulin

1 petite poignée de coriandre et de
    menthe au service

FOND

25 g (1 oz) de crevettes séchées
    trempées 15 minutes

500 g (1 1/4 livre) de côtes levées de porc

1 oignon pelé et coupé en quartiers

175 g (6 oz) de carottes pelées
    et coupées en morceaux

15 ml (1 c. à soupe) de nuoc nam
    (sauce à base de poisson)

15 ml (1 c. à soupe) de sauce de soja

4 grains de poivre

1. Pour préparer le fond, égoutter puis rincer les crevettes. Déposer les côtes levées dans une grande casserole et couvrir de 1 l (8 tasses) d'eau. Porter à ébullition et dégraisser au besoin. Ajouter les crevettes et le reste des ingrédients. Couvrir et laisser mijoter pendant 1 1/2 heure, puis enlever l'écume ou dégraisser. Continuer de mijoter encore 30 minutes. Égoutter et rectifier l'assaisonnement. Donne environ 1,5 l (6 1/4 tasses) de fond.

2. Couper le melon d'hiver en deux. Retirer les graines et les membranes du centre et les jeter. Couper la chair en fines tranches en forme de demi-lune. Bien essorer le lotus mouillé et l'attacher par un nœud.

3. Porter le fond à ébullition dans une casserole profonde ou un wok. Réduire le feu et ajouter le melon d'hiver et le lotus. Laisser mijoter de 15 à 20 minutes ou jusqu'à ce que le melon ait ramolli. Assaisonner au goût et parsemer le dessus de fines herbes.

Information nutritionnelle par portion : énergie 46 kcal ou 198 kJ ; protéines 2 g ; glucides 9 g (sucre = 4 g) ; gras 0 g (saturés = 0 g) ; cholestérol 0 mg ; calcium 90 mg ; fibres 1,4 g ; sodium 400 mg.

Soupe sucrée et piquante au tofu et aux légumes ✓

Cette soupe apaisante et nutritive se prépare en un rien de temps. Il suffit de verser
le bouillon fumant sur les épinards et le tofu déposés au préalable dans les plats.

4 PORTIONS

1,2 l (5 tasses) de bouillon de légumes

5 à 10 ml (1 à 2 c. à thé) de pâte de cari
   rouge thaïlandais

2 feuilles de lime kaffir (combaya),
   déchirées

40 g (3 c. à soupe) de sucre de palme
   ou de sucre « muscovado »
   (sucre roux de canne)

30 ml (2 c. à soupe) de sauce de soja

Jus de 1 lime

1 carotte coupée en julienne

50 g (2 oz) de feuilles d'épinards,
   grosses tiges retirées

225 g (8 oz) de tofu soyeux coupé en dés

1. Faire chauffer le bouillon dans une grande casserole, puis ajouter la pâte de cari rouge. Remuer constamment en cuisant à feu moyen jusqu'à ce que la pâte soit dissoute. Incorporer les feuilles de lime, le sucre et la sauce de soja, puis porter à ébullition.

2. Déposer le jus de lime et la carotte dans la casserole. Réduire le feu et laisser mijoter de 5 à 10 minutes. Mettre les feuilles d'épinards et le tofu dans quatre plats de service. Verser le bouillon chaud sur les ingrédients au moment de servir.

Information nutritionnelle par portion : énergie 105 kcal ou 439 kJ ; protéines 5,3 g ; glucides 13,2 g (sucre = 12,8 g) ; gras 3,8 g (saturés = 0,5 g) ; cholestérol 0 mg ; calcium 320 mg ; fibres 0,7 g ; sodium 559 mg.

Soupe aigre-piquante thaïlandaise †††

Cette soupe revigorante, dont les parfums sont merveilleusement équilibrés, convient le mieux au début du repas puisqu'elle ouvre l'appétit.

4 PORTIONS

2 carottes

900 ml (3 3/4 tasses) de bouillon
   de légumes

2 chiles thaïlandais, évidés et hachés fin

2 tiges de citronnelle (feuilles retirées
   et tiges coupées en trois)

4 feuilles de lime kaffir

2 gousses d'ail hachées fin

4 oignons verts (ciboules)
   tranchés fin

5 ml (1 c. à thé) de sucre

Jus de 1 lime

45 ml (3 c. à soupe) de coriandre
   fraîchement hachée

Sel

130 g (1 tasse) de tofu japonais, tranché

1. Pour tailler les carottes en fleurs, couper chaque carotte en deux de travers puis tailler quatre rainures en forme de V sur la longueur. Couper ensuite en fines rondelles et réserver.

2. Verser le bouillon dans une grande casserole. Réserver 2,5 ml (1/2 c. à thé) des chiles et incorporer le reste à la casserole avec la citronnelle, les feuilles de lime, l'ail et la moitié des oignons verts. Porter à ébullition, réduire le feu et laisser mijoter pendant 20 minutes.

3. Tamiser le bouillon et jeter les ingrédients solides. Remettre le liquide dans la casserole. Ajouter les chiles réservés, l'oignon, le sucre, le jus de lime et la coriandre. Saler au goût.

4. Laisser mijoter à feu doux pendant 5 minutes, puis ajouter les carottes en fleur et le tofu. Continuer la cuisson 2 minutes jusqu'à ce que la carotte ait ramolli. Déposer à la louche dans des plats et servir immédiatement.

Information nutritionnelle par portion : énergie 40 kcal ou 169 kJ ; protéines 3,3 g ; glucides 3,4 g (sucre = 3,1 g) ; gras 1,6 g (saturés = 0,2 g) ; cholestérol 0 mg ; calcium 197 mg ; fibres 1,2 g ; sodium 11 mg.

Soupe aux poires et au roquefort avec poires caramélisées✓

Comme la plupart des soupes à base de fruits, il vaut mieux servir cette recette en petites quantités. Les poires caramélisées font de ce plat une entrée hors pair lors d'un dîner de réception d'automne.

4 PORTIONS

30 ml (2 c. à soupe) d'huile de tournesol

1 oignon haché

3 poires pelées, évidées et coupées en morceaux de 1 cm (1/2 po)

400 ml (1 2/3 tasse) de bouillon de légumes

2,5 ml (1/2 c. à thé) de paprika

Jus de 1/2 citron

175 g (6 oz) de roquefort

Sel et poivre noir du moulin

Cresson pour garnir

POIRES CARAMÉLISÉES

50 g (1/4 tasse) de beurre

2 poires, coupées en deux, évidées, puis coupées en quartiers

1. Faire chauffer l'huile dans une casserole. Ajouter l'oignon et le faire cuire jusqu'à ce qu'il soit translucide, de 4 à 5 minutes.

2. Ajouter les poires et le bouillon. Porter à ébullition et cuire de 8 à 10 minutes, jusqu'à ce que les poires soient tendres. Incorporer le paprika, le jus de citron, le fromage et l'assaisonnement.

3. Laisser refroidir la soupe un peu et la mettre en purée lisse à l'aide d'un robot culinaire ou d'un mélangeur, puis la passer à travers un fin tamis. Remettre la soupe dans la casserole.

4. Pour préparer les poires caramélisées, faire fondre le beurre dans un poêlon et y déposer les poires. Faire cuire de 8 à 10 minutes en tournant de temps à autre jusqu'à ce que les poires soient dorées.

5. Réchauffer légèrement la soupe, puis la déposer à la louche dans de petits plats peu profonds. Ajouter quelques tranches de poire caramélisée sur le dessus de chaque plat. Garnir d'un peu de cresson et servir immédiatement.

Information nutritionnelle par portion : énergie 381 kcal ou 1 579 kJ ; protéines 10,1 g ; glucides 21,8 g (sucre = 20,9 g) ; gras 28,7 g (saturés = 15,6 g) ; cholestérol 59 mg ; calcium 246 mg ; fibres 4,7 g ; sodium 616 mg.

Soupes aux légumes

Une portion de soupe aux légumes accompagnée de pain croustillant
constitue une superbe entrée ou même un repas léger en toute saison.
Utilisez les légumes frais de saison... des tomates et des fines herbes
en été; de la citrouille et de la courge à l'automne; du poireau et des
légumes racines en hiver. Les soupes proposées dans ce chapitre sont
essentiellement à base de légumes, bien que certaines contiennent un
fond de viande ou de volaille.

Potage aux carottes et à l'orange ☩☩☩

Ce potage d'été éclatant gagne tous les cœurs avec sa consistance onctueuse et son parfum vibrant d'agrumes frais. Utilisez un bon fond de volaille ou un bouillon de légumes maison autant que possible.

4 PORTIONS

50 g (1/4 tasse) de beurre

3 poireaux en rondelles

450 g (1 lb) de carottes en tranches

1,2 l (5 tasses) de fond de volaille
ou de bouillon de légumes

Zeste et jus de 2 oranges

2,5 ml (1/2 c. à thé) de muscade
fraîchement râpée

150 ml (2/3 tasse) de yaourt grec
nature filtré

Sel et poivre noir du moulin

Tiges de coriandre fraîche pour garnir

1. Faire fondre le beurre dans une grande casserole. Ajouter le poireau et les carottes en remuant pour les enduire de beurre. Couvrir et faire cuire environ 10 minutes jusqu'à ce que les légumes commencent à ramollir.

2. Ajouter le fond ou le bouillon ainsi que le zeste et le jus d'orange. Incorporer la muscade et assaisonner de sel et de poivre. Porter à ébullition, réduire le feu, couvrir et laisser mijoter, couvert, 40 minutes ou jusqu'à ce que les légumes soient cuits. Laisser refroidir légèrement, puis mettre en purée lisse dans un robot culinaire ou un mélangeur.

3. Remettre la soupe dans la casserole et ajouter 30 ml (2 c. à soupe) de yaourt, puis goûter et rectifier l'assaisonnement au besoin. Réchauffer légèrement.

4. Déposer la soupe dans des plats réchauffés au préalable et tracer une spirale de yaourt au centre de chacun. Garnir d'un brin de coriandre et servir immédiatement.

Information nutritionnelle par portion : énergie 206 kcal ou 856 kJ ; protéines 5 g ; glucides 15,8 g (sucre = 14,2 g) ; gras 14,4 g (saturés = 8,3 g) ; cholestérol 27 mg ; calcium 111 mg ; fibres 5,8 g ; sodium 131 mg.

Potage irlandais aux pommes de terre +++

Cette soupe tout ce qu'il y a de plus irlandais est non seulement savoureuse, mais aussi très polyvalente, car elle sert de base à de nombreuses autres soupes. Utilisez des pommes de terre farineuses pour de meilleurs résultats.

DE 6 À 8 PORTIONS

50 g (1/4 tasse) de beurre

2 gros oignons pelés et hachés fin

675 g (1 1/2 lb) de pommes de terre coupées en dés

1,75 l (7 1/2 tasses) environ de fond de volaille ou de bouillon de légumes chaud

Sel de mer et poivre noir du moulin

Un peu de lait au goût

Ciboulette fraîche ciselée pour garnir

1. Faire fondre le beurre dans une grande casserole épaisse et y déposer les oignons en remuant pour bien les enduire de beurre. Couvrir et faire suer l'oignon à feu très doux pendant environ 10 minutes.

2. Déposer les pommes de terre dans la casserole et bien mélanger avec le beurre et les oignons. Saler et poivrer. Couvrir et faire cuire, sans dorer, à feu doux, environ 10 minutes. Incorporer le fond ou le bouillon, porter à ébullition et laisser mijoter 25 minutes ou jusqu'à ce que les légumes soient tendres.

3. Retirer du feu et laisser refroidir légèrement. Mettre la soupe en purée en plusieurs étapes à l'aide d'un robot culinaire ou d'un mélangeur.

4. Réchauffer le potage à feu doux et rectifier l'assaisonnement. Si le potage semble trop épais, ajouter un peu de bouillon ou de lait. Servir très chaud. Parsemer de ciboulette ciselée.

Information nutritionnelle par portion : énergie 167 kcal ou 699 kJ ; protéines 2,9 g ; glucides 23,5 g (sucre = 5,3 g) ; gras 7,5 g (saturés = 4,5 g) ; cholestérol 18 mg ; calcium 26 mg ; fibres 2,1 g ; sodium 201 mg.

Onctueux velouté de panais +++

Ce velouté légèrement relevé est fort populaire en Irlande. Il en existe de nombreuses variantes. Le panais est à son plus doux après la première gelée puisque la température froide transforme les féculents en sucre.

6 PORTIONS

900 g (2 lb) de panais pelés et tranchés fin
50 g (1/4 tasse) de beurre
1 oignon haché
2 gousses d'ail écrasées
10 ml (2 c. à thé) de cumin moulu
5 ml (1 c. à thé) de coriandre moulue
1,2 l (5 tasses) environ de fond de volaille chaud
150 ml (2/3 tasse) de crème fleurette (légère)
Sel et poivre noir du moulin
Ciboulette ou persil frais ciselés et croûtons (facultatif) pour garnir

1. Faire chauffer le beurre dans une casserole à fond épais, y déposer le panais avec l'oignon haché et l'ail. Cuire jusqu'à ce que l'oignon soit translucide, sans dorer. Remuer à de temps à autre.

2. Ajouter le cumin et la coriandre aux légumes et cuire en remuant de 1 à 2 minutes, puis incorporer graduellement le fond de volaille chaud.

3. Couvrir et laisser mijoter environ 20 minutes ou jusqu'à ce que le panais soit tendre. Mettre en purée, rectifier la consistance en ajoutant du bouillon ou de l'eau si le velouté est trop épais. Rectifier aussi l'assaisonnement. Ajouter la crème et chauffer sans porter à ébullition.

4. Servir immédiatement en saupoudrant la soupe de ciboulette ou de persil et de quelques croûtons.

Information nutritionnelle par portion : énergie 215 kcal ou 899 kJ ; protéines 3,9 g ; glucides 21,3 g (sucre = 10,6 g) ; gras 13,3 g (saturés = 7,7 g) ; cholestérol 32 mg ; calcium 92 mg ; fibres 7,3 g ; sodium 74 mg.

Velouté de panais au cari garni de croûtons ✓

Le goût sucré du panais et du « chutney » aux mangues dans ce simple velouté est agréablement relevé grâce à un mélange d'épices. Les croûtons « naan » aux graines de sésame lui confèrent une touche d'originalité.

4 PORTIONS

30 ml (2 c. à soupe) d'huile d'olive

1 oignon haché

1 gousse d'ail écrasée

1 petit chile vert, évidé et haché

15 ml (1 c. à soupe) de gingembre frais râpé

5 gros panais en dés

5 ml (1 c. à thé) de graines de cumin

5 ml (1 c. à thé) de coriandre moulue

2,5 ml (1/2 c. à thé) de curcuma moulu

30 ml (2 c. à soupe) de « chutney » à la mangue

1,2 l (5 tasses) d'eau

Jus de 1 lime

Sel et poivre du moulin

60 ml (4 c. à soupe) de yaourt nature et de « chutney » à la mangue, au service

CROÛTONS « NAAN »

45 ml (3 c. à soupe) d'huile d'olive

1 gros pain « naan »

15 ml (1 c. à soupe) de graines de sésame

1. Faire chauffer l'huile dans une grande casserole. Ajouter l'oignon, l'ail, le chile et le gingembre. Faire cuire de 4 à 5 minutes jusqu'à ce que l'oignon soit translucide. Incorporer le panais et faire cuire de 2 à 3 minutes. Saupoudrer des graines de cumin, de la coriandre et du curcuma, et continuer de cuire 1 minute en remuant constamment.

2. Ajouter le « chutney » et l'eau. Bien assaisonner et porter à ébullition. Réduire le feu et laisser mijoter 15 minutes, jusqu'à ce que le panais soit cuit.

3. Laisser refroidir la soupe un peu et la mettre en purée lisse à l'aide d'un robot culinaire ou d'un mélangeur, puis la remettre dans la casserole. Mélanger le jus de lime à la soupe.

4. Pour confectionner les croûtons « naan », couper le pain en petits dés. Faire chauffer l'huile dans un grand poêlon et frire le pain jusqu'à ce qu'il soit doré. Retirer du feu et égoutter tout surplus d'huile. Ajouter les graines de sésame et remettre sur le feu 30 secondes pour faire dorer les graines.

5. Déposer la soupe à la louche dans des plats. Garnir d'un peu de yaourt, de « chutney » à la mangue et de croûtons « naan ».

Information nutritionnelle par portion : énergie 189 kcal ou 792 kJ ; protéines 4 g ; glucides 26,6 g (sucre = 15,5 g) ; gras 8,2 g (saturés = 1,2 g) ; cholestérol 0 mg ; calcium 101 mg ; fibres 7,5 g ; sodium 110 mg.

Soupe onctueuse de cœurs de palmier+++

Cette soupe délicate a une riche saveur onctueuse et veloutée. Le goût subtil quoique distinct des cœurs de palmier est incomparable, bien qu'il rappelle un peu l'artichaut ou l'asperge. Servez-la avec du pain frais comme repas à l'heure du lunch.

4 PORTIONS

25 g (2 c. à soupe) de beurre
10 ml (2 c. à thé) d'huile d'olive
1 oignon haché fin
1 gros poireau en fines rondelles
15 ml (1 c. à soupe) de farine tout usage
1 l (4 tasses) de fond de volaille
350 g (12 oz) de pommes de terre pelées et coupées en dés

2 boîtes de 400 g (14 oz) de cœurs de palmier, égouttés et coupés en rondelles
250 ml (1 tasse) de double-crème (épaisse)
Sel et poivre noir du moulin
Poivre de Cayenne et ciboulette fraîche ciselée pour garnir

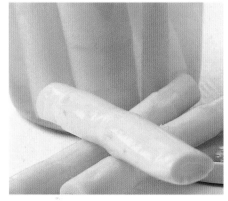

1. Faire chauffer le beurre et l'huile dans une casserole à feu doux. Ajouter l'oignon et le poireau en remuant pour bien les enduire de beurre. Couvrir et faire cuire jusqu'à ce qu'ils deviennent translucides, environ 5 minutes.

2. Saupoudrer la farine sur les oignons. Continuer la cuisson 1 minute en remuant.

3. Verser le fond de volaille dans la casserole et ajouter les pommes de terre. Porter à ébullition, réduire le feu et laisser mijoter 10 minutes. Incorporer les cœurs de palmier et verser la double-crème (épaisse). Laisser mijoter encore 10 minutes.

4. Mettre en purée lisse dans un robot culinaire ou un mélangeur. Remettre la soupe dans la casserole et réchauffer. Ajouter un peu d'eau au besoin. La soupe doit être consistante sans être trop épaisse. Assaisonner de sel et de poivre noir du moulin.

5. Déposer la soupe à la louche dans des plats réchauffés au préalable et garnir chacun d'eux d'une pincée de poivre de Cayenne et de ciboulette fraîche ciselée. Servir immédiatement.

VARIANTE
Ajouter un avocat bien mûr durant la mise en purée en vue d'obtenir un velouté encore plus onctueux.

Information nutritionnelle par portion : énergie 486 kcal ou 2 016 kJ ; protéines 4,9 g ; glucides 25,9 g (sucre = 3 g) ; gras 41,1 g (saturés = 24,4 g) ; cholestérol 99 mg ; calcium 127 mg ; fibres 3,7 g ; sodium 97 mg.

Soupe d'artichauts avec « bruschetta » à l'artichaut et aux anchois +++

Les artichauts de Jérusalem s'apprêtent bien en soupe, en gratin ou en purée. Les artichauts communs, qui n'ont aucun lien avec les artichauts de Jérusalem, se mangent surtout en salades nappées d'une vinaigrette relevée.

6 PORTIONS

1 jet de jus de citron

450 g (1 lb) d'artichauts de Jérusalem, pelés et coupés en dés

65 g (5 c. à soupe) de beurre

175 g (6 oz) de pommes de terre coupées en gros morceaux

1 petit oignon haché

1 petite gousse d'ail hachée

1 côte de céleri hachée

1 petit bulbe de fenouil, coupé en deux, cœur retiré, puis haché

1,2 l (5 tasses) de bouillon de légumes

300 ml (1 1/4 tasse) de double-crème (épaisse)

1 pincée de muscade fraîchement râpée

Sel et poivre noir du moulin

Feuilles de basilic pour garnir

« BRUSCHETTA » À L'ARTICHAUT ET AUX ANCHOIS

6 tranches de pain de campagne

1 gousse d'ail

50 g (1/4 tasse) de beurre doux

1 boîte d'artichauts de 400 g (14 oz), égouttés, coupés en deux

45 ml (3 c. à soupe) de tapenade

9 filets d'anchois salés, coupés en deux sur la longueur

1. Préparer un plat d'eau froide additionnée d'un jet de jus de citron. Y déposer l'artichaut dès qu'il est apprêté. Cela empêche son oxydation.

2. Faire fondre le beurre dans une grande casserole à fond épais. Égoutter les artichauts et les mettre dans la casserole avec les pommes de terre, l'oignon, l'ail, le céleri et le fenouil. Bien mélanger et faire cuire 10 minutes en remuant de temps à autre jusqu'à ce que les ingrédients commencent à ramollir.

3. Recouvrir du bouillon et porter à ébullition. Laisser mijoter de 10 à 15 minutes jusqu'à ce que tous les légumes aient ramolli. Laisser la soupe refroidir, puis passer les légumes au tamis et mettre dans une casserole propre. Incorporer la crème et la muscade, et assaisonner au goût.

4. Pour préparer les « bruschettas », faire griller les tranches de pain des deux côtés, puis les frotter avec la gousse d'ail. Réserver. Faire fondre le beurre dans un poêlon. Ajouter l'artichaut et cuire de 3 à 4 minutes.

5. Étaler la tapenade sur le pain grillé et déposer des cœurs d'artichauts dessus. Agrémenter de filets d'anchois et de feuilles de basilic. Réchauffer la soupe sans atteindre l'ébullition, puis mettre dans des plats à la louche. Servir les « bruschettas » avec la soupe.

Information nutritionnelle par portion : énergie 790 kcal ou 3 303 kJ ; protéines 14,3 g ; glucides 85,6 g (sucre = 16,4 g) ; gras 45,8 g (saturés = 27,3 g) ; cholestérol 111 mg ; calcium 232 mg ; fibres 7,6 g ; sodium 1 030 mg.

Potage parmentier avec fenouil +++
et scones chauds au romarin

Les saveurs simples de ce délicieux potage sont mises en valeur par le parfum délicat des fleurs de fines herbes et se marient parfaitement aux scones au romarin.

4 PORTIONS

75 g (6 c. à soupe) de beurre

2 oignons hachés

5 ml (1 c. à thé) de graines de fenouil
    écrasées

3 bulbes de fenouil grossièrement coupés

900 g (2 lb) de pommes de terre
    tranchées fin

1,2 l (5 tasses) de fond de volaille

150 ml (2/3 tasse) de double-crème
    (épaisse)

Sel et poivre noir du moulin

Fleurs de fines herbes et ciboulette
    fraîche ciselée pour garnir

SCONES AU ROMARIN

225 g (2 tasses) de farine autolevante

2,5 ml (1/2 c. à thé) de sel

5 ml (1 c. à thé) de levure chimique

10 ml (2 c. à thé) de romarin frais haché

50 g (1/4 tasse) de beurre

150 ml (2/3 tasse) de lait

1 œuf battu pour badigeonner

1. Faire fondre le beurre dans une casserole. Ajouter l'oignon et cuire à feu doux pendant 10 minutes jusqu'à ce qu'il soit translucide. Remuer de temps à autre. Incorporer les graines de fenouil et poursuivre la cuisson 2 ou 3 minutes. Mélanger le fenouil et les pommes de terre.

2. Couvrir la casserole d'un morceau de papier parchemin, puis mettre un couvercle et cuire à feu doux pendant 10 minutes, jusqu'à tendreté. Enlever le papier parchemin. Remplir du fond de volaille et porter à ébullition; couvrir de nouveau et laisser mijoter 35 minutes.

3. Entre-temps, préparer les scones. Préchauffer le four à 230 °C (450 °F) et graisser une plaque à cuisson. Tamiser la farine, le sel et la levure chimique dans un contenant. Incorporer le romarin et y défaire le beurre. Ajouter le lait et brasser pour obtenir une pâte souple. Pétrir délicatement sur une surface légèrement enfarinée. Aplatir à l'aide d'un rouleau à pâtisserie à 2 cm (3/4 po) d'épaisseur. Tailler 12 scones ronds à l'aide d'un emporte-pièce. Badigeonner d'œuf battu et faire cuire sur la plaque de 8 à 10 minutes, jusqu'à ce qu'ils soient gonflés et dorés. Laisser refroidir un peu sur une grille.

4. Laisser la soupe refroidir un peu, puis la mettre en purée à l'aide d'un robot culinaire ou d'un mélangeur. Passer au tamis et remettre dans la casserole nettoyée. Ajouter la crème et les épices en remuant, puis faire chauffer de nouveau, sans porter à ébullition. Déposer à la louche dans des plats et parsemer des fleurs de fines herbes et de ciboulette ciselée. Servir accompagnée de scones.

Information nutritionnelle par portion : énergie 797 kcal ou 3 332 kJ ; protéines 12,3 g ; glucides 84,1 g (sucre = 8,8 g) ; gras 48,1 g (saturés = 29,6 g) ; cholestérol 120 mg ; calcium 316 mg ; fibres 7,6 g ; sodium 703 mg.

Velouté de chou-fleur au cari ✝✝✝

Cette soupe est très facile à faire. Son goût relevé et son onctuosité en font un mets idéal au déjeuner lors d'une froide journée d'hiver, si vous l'accompagnez d'un bon morceau de pain de campagne et d'une belle garniture de coriandre.

4 PORTIONS

750 ml (3 tasses) de lait
1 gros chou-fleur
15 ml (1 c. à soupe) de garam masala
Feuilles de coriandre pour garnir
Sel et poivre noir du moulin

1. Faire chauffer le lait à feu moyen. Ajouter les fleurons de chou-fleur et le garam masala. Assaisonner de sel et de poivre.

2. Porter le lait à ébullition, puis réduire le feu. Couvrir partiellement avec un couvercle et laisser mijoter environ 20 minutes ou jusqu'à ce que le chou-fleur soit cuit.

3. Laisser le mélange refroidir quelques minutes, puis le transférer dans un robot culinaire ou un mélangeur. Mettre en purée en deux étapes jusqu'à consistance lisse.

4. Remettre la purée dans la casserole et réchauffer doucement sans atteindre l'ébullition. Rectifier l'assaisonnement. Servir immédiatement. Garnir de feuilles de coriandre fraîches si désiré.

Information nutritionnelle par portion : énergie 143 kcal ou 601 kJ ; protéines 12 g ; glucides 13,9 g (sucre = 12,6 g) ; gras 4,8 g (saturés = 2,3 g) ; cholestérol 11 mg ; calcium 271 mg ; fibres 3,2 g ; sodium 104 mg.

Soupe à l'ail rôti et à la courge musquée avec « salsa » à la tomate +++

Ce merveilleux potage est délectable et son goût prononcé provient de la « salsa » à la tomate épicée qui ajoute du piquant au parfum sucré de l'ail rôti et de la courge musquée.

DE 4 À 5 PORTIONS

2 gousses d'ail, gaine enlevée

75 ml (5 c. à soupe) d'huile d'olive

Quelques brins de thym frais

1 grosse courge musquée, coupée en deux et évidée

2 oignons hachés

5 ml (1 c. à thé) de coriandre moulue

1,2 l (5 tasses) de fond de volaille ou de bouillon de légumes

30 à 45 ml (2 à 3 c. à soupe) de marjolaine ou d'origan frais haché

Sel et poivre noir du moulin

« SALSA » À LA TOMATE

4 grosses tomates mûres coupées en deux et évidées

1 poivron rouge coupé en deux et évidé

1 gros piment rouge frais coupé en deux et évidé

30 à 45 ml (2 à 3 c. à soupe) d'huile d'olive extra-vierge

15 ml (1 c. à soupe) de vinaigre balsamique

1 pincée de sucre glace

1. Faire chauffer le four à 220 °C (425 °F). Placer les bulbes d'ail sur une feuille de papier d'aluminium et les arroser de la moitié de l'huile d'olive. Couvrir de brins de thym, puis plier la feuille de façon à envelopper les bulbes d'ail. Déposer le paquet obtenu sur une plaque à cuisson à côté de la courge musquée badigeonnée avec 15 ml (1 c. à soupe) de l'huile d'olive restante. Y ajouter les tomates, le poivron rouge et le piment fort destiné à la « salsa ».

2. Faire rôtir les légumes au four 25 minutes. Retirer les tomates, le poivron et le piment. Réduire la température du four à 190 °C (375 °F) et faire cuire l'ail et la courge encore 25 minutes ou jusqu'à ce que la courge soit tendre.

3. Faire chauffer l'huile restante dans une grande casserole à fond épais et y faire cuire les oignons et la coriandre moulue à feu doux pendant 10 minutes, jusqu'à ce que les oignons soient translucides.

4. Pour préparer la « salsa », retirer la peau du poivron et du piment, puis mettre la chair dans le robot culinaire ou le mélangeur avec les tomates et 30 ml (2 c. à soupe) d'huile d'olive. Incorporer le vinaigre balsamique et assaisonner au goût, en ajoutant une pincée de sucre glace. Incorporer plus d'huile d'olive si la salsa est trop épaisse.

5. Dégager la pulpe des gousses d'ail rôti en les pinçant et déposer avec les oignons. Retirer la chair de la courge musquée et l'ajouter à la préparation. Recouvrir du fond ou du bouillon, de 5 ml (1 c. à thé) de sel et d'une quantité généreuse de poivre, soit plusieurs tours de moulin. Porter à ébullition, puis laisser mijoter 10 minutes. Incorporer la moitié de l'origan ou de la marjolaine et laisser refroidir la soupe légèrement avant de la mettre en purée à l'aide d'un robot culinaire ou d'un mélangeur, puis passer à travers un fin tamis.

6. Réchauffer la soupe sans la porter à ébullition. Rectifier l'assaisonnement avant de transférer la soupe à la louche dans des plats réchauffés au préalable. Décorer chaque plat d'une cuillerée comble de « salsa » et parsemer de la marjolaine ou de l'origan restant. Servir immédiatement.

Information nutritionnelle par portion : énergie 303 kcal ou 1 256 kJ ; protéines 4,2 g ; glucides 20,7 g (sucre = 16,6 g) ; gras 23,2 g (saturés = 3,5 g) ; cholestérol 0 mg ; calcium 107 mg ; fibres 5,7 g ; sodium 15 mg.

Soupe à la citrouille rôtie épicée agrémentée de croustilles de citrouille ✓

La citrouille est rôtie entière, puis coupée en deux et évidée afin de réaliser ce potage savoureux. Le tout est garni de croustilles de citrouille. Un vrai délice.

DE 6 À 8 PORTIONS

1 citrouille de 1,5 g (3 à 3 1/2 lb)
90 ml (6 c. à soupe) d'huile d'olive
2 oignons hachés
3 gousses d'ail hachées
Morceau de 7,5 cm (3 po)
   de gingembre râpé
5 ml (1 c. à thé) de coriandre moulue
2,5 ml (1/2 c. à thé) de curcuma moulu
1 pincée de poivre de Cayenne

1 l (4 tasses) de bouillon de légumes
Sel et poivre noir du moulin
15 ml (1 c. à soupe) de graines de sésame
   et de feuilles de coriandre fraîches
   pour garnir

CROUSTILLES DE CITROUILLE
1 quartier de citrouille, épépiné
120 ml (1/2 tasse) d'huile d'olive

1. Faire chauffer le four à 220 °C (400 °F). Piquer le dessus de la citrouille à plusieurs endroits à l'aide d'une fourchette. Badigeonner d'une bonne quantité d'huile et faire cuire au four 45 minutes ou jusqu'à tendreté. Laisser refroidir suffisamment pour manipuler. Retirer la chair de la citrouille et jeter les graines. Couper la chair en morceaux.

2. Faire chauffer 60 ml (4 c. à soupe) de l'huile restante (ou moins au goût) dans une grande casserole, puis y déposer l'oignon, l'ail et le gingembre. Faire cuire à feu doux de 4 à 5 minutes. Ajouter la coriandre, le curcuma et le poivre de Cayenne et poursuivre la cuisson 2 minutes. Incorporer la citrouille et le bouillon, puis laisser mijoter 20 minutes.

3. Laisser refroidir la soupe un peu, puis la mettre en purée à l'aide d'un robot culinaire ou d'un mélangeur. Remettre la soupe dans la casserole nettoyée. Bien assaisonner.

4. Entre-temps, préparer les croustilles de citrouille. Utiliser un éplucheur de pommes de terre à lame amovible et découper des lamelles de citrouille longues et minces. Faire chauffer l'huile dans un poêlon et y faire frire les lamelles de citrouille 2 ou 3 minutes ou jusqu'à ce qu'elles soient croustillantes. Égoutter sur un essuie-tout.

5. Réchauffer la soupe, puis la déposer à la louche dans des plats. Garnir le dessus de chaque plat de croustilles de citrouille, de graines de sésame et de feuilles de coriandre.

Information nutritionnelle par portion : énergie 271 kcal ou 1 119 kJ ; protéines 3,1 g ; glucides 11,1 g (sucre = 8,2 g) ; gras 24,1 g (saturés = 3,6 g) ; cholestérol 0 mg ; calcium 110 mg ; fibres 3,8 g ; sodium 3 mg.

Soupe à la tomate avec tranches de ciabatta grillées aux olives noires +++

La soupe à la tomate figure au premier rang des soupes préférées, surtout lorsqu'elle est préparée avec des tomates fraîches. Elle est des plus réconfortantes et a une riche saveur du terroir.

6 PORTIONS

450 g (1 lb) de tomates bien mûres

30 ml (2 c. à soupe) d'huile d'olive

1 oignon haché

1 gousse d'ail écrasée

30 ml (2 c. à soupe) de vinaigre de sherry (xérès)

30 ml (2 c. à soupe) de concentré de tomates

15 ml (1 c. à soupe) de fécule de maïs ou de farine de pomme de terre

300 ml (1 1/4 tasse) de passata (tomates filtrées, en pot)

1 feuille de laurier

900 ml (3 3/4 tasses) de bouillon de légumes ou de fond de volaille

200 ml (presque 1 tasse) de crème fraîche

Sel et poivre noir du moulin

Feuilles de basilic pour garnir

CIABATTA GRILLÉ AUX OLIVES NOIRES

1 ciabatta nature ou aux olives noires

1 petit poivron rouge

3 gousses d'ail entières, non pelées

225 g (8 oz) d'olives noires (de préférence à la grecque)

30 à 45 ml (2 à 3 c. à soupe) de câpres salées ou dans le vinaigre

12 filets d'anchois égouttés ou 1 boîte de thon dans son huile, aussi égoutté

150 ml (2/3 tasse) environ d'huile d'olive de qualité

Jus de citron frais

Poivre noir du moulin au goût

45 ml (3 c. à soupe) de basilic frais ciselé

1. Préparer d'abord le pain grillé. Faire chauffer le four à 220 °C (400 °F). Couper le ciabatta en deux, puis chaque moitié en neuf. Déposer sur une plaque à cuisson et faire cuire au four de 10 à 15 minutes.

2. Placer le poivron entier et les gousses d'ail sous un gril chaud et griller 15 minutes. Tourner pour bien griller de tous les côtés. On peut aussi les faire cuire au four 25 minutes. Une fois grillés, placer l'ail et le poivron dans un sac en plastique et laisser refroidir 10 minutes.

3. Une fois le poivron refroidi, retirer la peau noircie et le cœur. Peler l'ail. Dénoyauter les olives. Rincer les câpres sous l'eau du robinet. Déposer tous les ingrédients, ainsi que les anchois ou le thon, dans un robot culinaire ou un mélangeur et broyer grossièrement.

4. Pendant que l'appareil est en marche, y verser lentement un mince filet d'huile jusqu'à l'obtention d'une pâte homogène foncée. Si vous préférez, incorporer l'huile d'olive à la main. Assaisonner de jus de citron et de poivre. Incorporer le basilic.

5. Étaler la garniture sur le pain grillé. Sinon, la réserver dans un pot, recouverte d'un peu d'huile d'olive, et la conserver au réfrigérateur jusqu'à trois semaines.

6. Pour la soupe, couper les tomates en deux et retirer les graines et la pulpe. Passer la pulpe au tamis et réserver le liquide.

7. Faire chauffer l'huile dans une casserole, puis ajouter l'oignon, l'ail, le sherry (xérès), le concentré de tomates et les moitiés de tomates. Remuer, puis couvrir et faire cuire à feu doux pendant 1 heure en remuant de temps à autre. Mettre en purée la soupe dans un robot culinaire ou un mélangeur. Puis passer au tamis avant de la remettre dans la casserole.

8. La fécule de maïs ou la farine de pomme de terre avec la pulpe de tomates réservée. Incorporer à la soupe avec les tomates filtrées, la feuille de laurier et le fond ou le bouillon. Laisser mijoter 30 minutes. Incorporer la crème fraîche et garnir de feuilles de basilic. Servir fumant avec les tranches de ciabatta grillées.

Information nutritionnelle par portion : énergie 532 kcal ou 2 211 kJ ; protéines 11,9 g ; glucides 29,3 g (sucre = 7,6 g) ; gras 41,7 g (saturés = 13,2 g) ; cholestérol 50 mg ; calcium 120 mg ; fibres 3,5 g ; sodium 1 352 mg.

Soupe à la tomate et aux tortillas + + +

Il existe diverses versions de soupe aux tortillas. La recette qui suit est une « aquada », soit une version liquide. On la sert surtout comme entrée au début d'un repas ou comme repas léger. Les morceaux de tortillas éveillent la curiosité et confèrent à la soupe une texture particulière.

4 PORTIONS

4 tortillas de maïs

15 ml (1 c. à soupe) d'huile végétale, et
   plus pour frire

1 petit oignon haché

2 gousses d'ail écrasées

350 g (12 oz) de tomates italiennes mûres

1 boîte de 400 g (14 oz) de tomates
   italiennes, égouttées

1 l (4 tasses) de fond de volaille

1 pincée de coriandre fraîche

50 g (1/2 tasse) de cheddar doux râpé

Sel et poivre noir du moulin

1. À l'aide d'un couteau tranchant, couper chaque tortilla en quatre ou cinq bandelettes d'environ 2 cm (3/4 po) de largeur. Verser de l'huile jusqu'à une profondeur de 2 cm (3/4 po) dans un poêlon profond. Faire chauffer jusqu'à ce qu'un petit morceau de tortilla déposé dans l'huile flotte et soit entouré de bulles.

2. Mettre quelques bandelettes de tortilla dans l'huile chaude et frire jusqu'à ce qu'elles soient croustillantes et dorées. Les retirer de l'huile à l'aide d'une cuillère à rainure et égoutter sur un essuie-tout. Répéter.

3. Faire chauffer 15 ml (1 c. à soupe) d'huile végétale dans une grande casserole. Ajouter l'oignon et l'ail. Faire cuire à feu moyen pendant 2 à 3 minutes, jusqu'à ce que l'oignon soit translucide.

4. Peler les tomates fraîches en les plongeant dans de l'eau bouillante pendant 30 secondes, puis en les transférant dans de l'eau glacée. Égoutter et peler à l'aide d'un couteau tranchant.

5. Hacher ensemble les tomates fraîches et en boîte, et les ajouter à l'oignon. Recouvrir du fond. Porter à ébullition, puis réduire le feu et laisser mijoter 10 minutes. Remuer de temps à autre. Hacher la coriandre ou la déchirer en gros morceaux. Ajouter à la soupe et assaisonner de sel et de poivre au goût.

6. Mettre quelques bandelettes de tortillas croquantes dans quatre plats à soupe réchauffés au préalable. Déposer la soupe à la louche dans chaque plat et parsemer d'un peu de fromage râpé. Servir immédiatement.

Information nutritionnelle par portion : énergie 270 kcal ou 1 135 kJ ; protéines 8,3 g ; glucides 36,9 g (sucre = 7,2 g) ; gras 10,7 g (saturés = 3,6 g) ; cholestérol 12 mg ; calcium 164 mg ; fibres 3,3 g ; sodium 248 mg.

Soupe à la tomate, au pain « ciabatta » et à l'huile de basilic ✢ ✢ ✢

Le pain est un ingrédient populaire en Europe pour épaissir les soupes. La présente recette, qui regorge de saveurs méditerranéennes, révèle la rapidité et la simplicité de cette technique. ✢ ✢ ✢

4 PORTIONS

45 ml (3 c. à soupe) d'huile d'olive

1 oignon rouge haché

6 gousses d'ail écrasées

300 ml (1 1/4 tasse) de vin blanc

150 ml (2/3 tasse) d'eau

12 tomates italiennes coupées en quartiers

2 boîtes de 400 g (14 oz) de tomates italiennes

2,5 ml (1/2 c. à thé) de sucre

1/2 miche de pain ciabatta

Sel et poivre noir du moulin

Feuilles de basilic pour garnir

HUILE DE BASILIC

115 g (4 oz) de feuilles de basilic

120 ml (1/2 tasse) d'huile d'olive

1. Pour préparer l'huile de basilic, défaire le basilic avec l'huile d'olive dans un robot culinaire ou un mélangeur. Tapisser un plat d'une étamine et y déposer la pâte de basilic. Fermer l'étamine comme un sac et presser la pâte de basilic afin d'en soutirer l'huile. Réserver l'huile.

2. Faire chauffer l'huile d'olive dans une grande casserole. Faire cuire les oignons et l'ail jusqu'à ce qu'ils soient translucides et aient ramolli, de 4 à 5 minutes.

3. Ajouter le vin, l'eau et les tomates fraîches et en boîte. Porter à ébullition, réduire le feu, couvrir la casserole, puis laisser mijoter de 3 à 4 minutes. Ajouter le sucre et bien assaisonner de sel et de poivre.

4. Défaire le pain en bouchées et l'incorporer à la soupe.

5. Déposer la soupe à la louche dans des plats. Garnir de feuilles de basilic et arroser d'un peu d'huile de basilic.

Information nutritionnelle par portion : énergie 332 kcal ou 1 396 kJ ; protéines 7,8 g ; glucides 35,4 g (sucre = 16,3 g) ; gras 13,4 g (saturés = 2 g) ; cholestérol 0 mg ; calcium 98 mg ; fibres 5 g ; sodium 306 mg.

Soupe au poivron grillé avec croustilles au parmesan

Le secret de cette soupe savoureuse est de la servir froide, mais pas trop, et de la garnir d'un morceau de pain grillé au parmesan débordant de fromage et de beurre fondu.

4 PORTIONS

1 oignon en quartiers

4 gousses d'ail non pelées

2 poivrons rouges évidés et en quartiers

2 poivrons jaunes évidés et en quartiers

30 à 45 ml (2 à 3 c. à soupe) d'huile d'olive

Zeste et jus d'une orange

1 boîte de 200 g (7 oz) de tomates en dés

600 ml (2 1/2 tasses) d'eau froide

Sel et poivre noir du moulin

30 ml (2 c. à soupe) de ciboulette ciselée pour garnir (facultatif)

CROUSTILLES AU PARMESAN

1 baguette moyenne

50 g (1/4 tasse) de beurre

175 g (6 oz) de parmesan

1. Faire chauffer le four à 200 °C (400 °F). Mettre l'oignon, l'ail et les poivrons sur une plaque de cuisson. Les asperger d'huile d'olive et bien les enduire. Placer les poivrons pelure vers le haut. Faire rôtir de 25 à 30 minutes, puis laisser refroidir légèrement.

2. Placer la chair des gousses d'ail dans un robot culinaire ou un mélangeur. Ajouter le zeste et le jus d'orange, les tomates, l'eau et les légumes, puis mettre en purée lisse. Passer à travers un fin tamis et réserver dans un plat. Assaisonner et réfrigérer 30 minutes.

3. Préparer les croustilles au parmesan juste avant de servir la soupe. Faire chauffer le gril de la cuisinière à forte intensité. Couper la baguette en deux sur la longueur, puis défaire ou couper les moitiés en quatre ou cinq morceaux. Beurrer.

4. Râper une grande partie du parmesan en copeaux, puis le reste finement. Déposer les morceaux de parmesan sur le pain, puis parsemer du fromage râpé. Placer le pain sous le gril et le faire griller quelques minutes jusqu'à ce que le dessus soit doré.

5. Déposer la soupe à la louche dans des plats peu profonds et garnir de ciboulette ciselée, au goût, et assaisonner de poivre noir du moulin frais. Servir immédiatement avec les croustilles au parmesan chaudes.

Information nutritionnelle par portion : énergie 124 kcal ou 516 kJ ; protéines 2,4 g ; glucides 15 g (sucre = 14,2 g) ; gras 6,4 g (saturés = 1 g) ; cholestérol 0 mg ; calcium 23 mg ; fibres 3,5 g ; sodium 13 mg.

Soupe à l'oignon au sherry (xérès) et aux amandes avec safran +++

La combinaison tout espagnole d'oignons, de sherry (xérès) et de safran donne une soupe d'une belle couleur jaune pâle. Avec son goût séduisant, c'est la soupe idéale à servir comme premier service lors d'occasions spéciales.

4 PORTIONS

40 g (3 c. à soupe) de beurre

2 gros oignons jaunes tranchés fin

1 petite gousse d'ail hachée fin

1 bonne pincée de pistils de safran (12 environ)

50 g (2 oz) d'amandes émondées, puis grillées et moulues

750 ml (3 tasses) de bon fond de volaille ou de bouillon de légumes

45 ml (3 c. à soupe) de sherry (xérès) sec

Sel et poivre noir du moulin

30 ml (2 c. à soupe) d'amandes effilées et grillées, ainsi que du persil frais pour garnir

1. Faire fondre le beurre dans une casserole à fond épais à feu doux. Ajouter les oignons et l'ail. Remuer pour bien enduire de beurre. Couvrir et faire cuire à feu très doux de 15 à 20 minutes en remuant fréquemment jusqu'à ce que les oignons aient ramolli et soient légèrement dorés.

2. Ajouter les pistils de safran et faire cuire de 3 à 4 minutes. Incorporer les amandes et poursuivre la cuisson de 2 à 3 minutes en remuant constamment. Ajouter le fond ou le bouillon et le sherry (xérès), ainsi que 5 ml (1 c. à thé) de sel. Assaisonner d'une bonne quantité de poivre. Porter à ébullition, réduire le feu et laisser mijoter doucement environ 10 minutes.

3. Réduire en purée lisse dans un robot culinaire ou un mélangeur, puis remettre le tout dans une casserole propre. Chauffer légèrement de nouveau sans porter à ébullition. Rectifier l'assaisonnement en ajoutant du sel et du poivre au besoin.

4. Déposer la soupe à la louche dans des plats réchauffés au préalable. Garnir d'amandes effilées et d'un peu de persil. Servir immédiatement.

Information nutritionnelle par portion : énergie 255 kcal ou 1 054 kJ ; protéines 5,8 g ; glucides 11,5 g (sucre = 8,1 g) ; gras 19,6 g (saturés = 6,1 g) ; cholestérol 21 mg ; calcium 82 mg ; fibres 3,2 g ; sodium 68 mg.

Soupe estivale aux fines herbes et au radicchio carbonisé ✓

Le goût sucré de l'échalote et du poireau dans ce velouté fait admirablement contrepartie à celui, légèrement acide, de l'oseille. On obtient une soupe au parfum de fines herbes avec une délicate touche citronnée.

DE 4 À 6 PORTIONS

- 30 ml (2 c. à soupe) de vin blanc
- 2 échalotes hachées fin
- 1 gousse d'ail écrasée
- 2 poireaux coupés en rondelles
- 1 grosse pomme de terre d'environ 225 g (8 oz) coupée en gros morceaux
- 2 courgettes en morceaux
- 600 ml (2 1/2 tasses) d'eau
- 115 g (4 oz) d'oseille, déchirée
- 1 grosse poignée de cerfeuil
- 1 grosse poignée de persil italien
- 1 grosse poignée de menthe fraîche
- 1 laitue beurre en feuilles
- 600 ml (2 1/2 tasses) de bouillon de légumes
- 1 petit radicchio
- 5 ml (1 c. à thé) d'huile de cacahuètes (d'arachides)
- Sel et poivre noir du moulin

1. Déposer le vin, l'échalote et l'ail dans une casserole à fond épais et porter à ébullition. Faire cuire de 2 à 3 minutes, pour ramollir les ingrédients.

2. Ajouter les poireaux, la pomme de terre, et les courgettes, puis verser de l'eau jusqu'à mi-hauteur des légumes. Déposer une feuille de papier paraffiné mouillé sur les légumes et couvrir, puis laisser cuire de 10 à 15 minutes pour les attendrir.

3. Retirer le papier paraffiné et ajouter l'oseille, le cerfeuil, le persil italien, la menthe fraîche et la laitue. Faire cuire de 1 à 2 minutes, pour les faire ramollir.

4. Ajouter le reste de l'eau et le bouillon, puis laisser mijoter 10 minutes. Refroidir la soupe légèrement et la mettre en purée à l'aide d'un robot culinaire ou d'un mélangeur. Remettre la soupe dans la casserole propre et bien assaisonner.

5. Couper le radicchio en fins quartiers et badigeonner les côtés coupés d'huile. Faire chauffer un poêlon strié ou régulier à feu élevé et y déposer le radicchio.

6. Faire cuire le radicchio 1 minute de chaque côté pour le faire carboniser légèrement. Faire chauffer la soupe à feu doux et déposer à la louche dans des plats réchauffés au préalable. Garnir d'un morceau de radicchio.

Information nutritionnelle par portion : énergie 102 kcal ou 428 kJ ; protéines 5 g ; glucides 15,1 g (sucre = 5,7 g) ; gras 2,2 g (saturés = 0,4 g) ; cholestérol 0 mg ; calcium 135 mg ; fibres 4,9 g ; sodium 57 mg.

Velouté de champignons +++

L'utilisation de diverses variétés de champignons confère un goût particulier à cette soupe. Voilà un repas léger savoureux lorsque vous servez le velouté avec un gros morceau de pain de campagne.

DE 4 À 6 PORTIONS

20 g (1 1/2 c. à soupe) de beurre
15 ml (1 c. à soupe) d'huile
1 oignon coupé en gros morceaux
4 pommes de terre, soit environ 250 à 350 g (9 à 12 oz),
    coupées en gros morceaux
350 g (12 oz) de champignons divers (de Paris, café, portobellos)
    nettoyés et coupés en gros morceaux
1 ou 2 gousses d'ail écrasées
150 ml (2/3 tasse) de vin blanc ou de cidre sec
1,2 l (5 tasses) de fond de volaille de qualité
1 poignée de persil frais haché
Sel et poivre noir du moulin
Crème fouettée ou crème sure pour garnir

1. Faire chauffer le beurre et l'huile dans une casserole à feu moyen. Ajouter l'oignon haché et bien remuer pour l'enduire de beurre. Incorporer les pommes de terre. Couvrir et faire suer pour attendrir sans dorer, de 10 à 15 minutes.

2. Ajouter les champignons, l'ail, le vin blanc ou le cidre et le fond. Assaisonner, porter à ébullition et faire cuire 15 minutes pour attendrir les ingrédients.

3. Déposer les légumes dans un moulin muni d'une lame grossière ou mettre en purée. Remettre la soupe dans la casserole propre et ajouter les 3/4 du persil. Porter de nouveau à ébullition, assaisonner et garnir de crème et du persil restant.

Information nutritionnelle par portion : énergie 155 kcal ou 648 kJ ; protéines 3,2 g ; glucides 13,6 g (sucre = 3,4 g) ; gras 7,6 g (saturés = 3,2 g) ; cholestérol 11 mg ; calcium 23 mg ; fibres 2,1 g ; sodium 44 mg.

Soupe à l'ail ++

Cette soupe irlandaise au parfum subtil et invitant fait appel à un ingrédient des plus anciens, l'ail, qui, selon la croyance populaire, est très bon pour la santé.

8 PORTIONS

12 grosses gousses d'ail écrasées
15 ml (1 c. à soupe) d'huile d'olive
15 ml (1 c. à soupe) de beurre fondu
1 petit oignon haché
15 g (2 c. à soupe) de farine tout usage
15 ml (1 c. à soupe) de vinaigre de vin blanc
1 l (4 tasses) de fond de volaille
1 l (4 tasses) d'eau
2 jaunes d'œufs battus
Croûtons, frits dans du beurre, au service

1. Mettre l'huile et le beurre dans une casserole, ajouter l'ail et l'oignon, puis faire cuire à feu doux pendant 20 minutes pour les attendrir sans les dorer.

2. Ajouter la farine et faire un roux. Faire cuire quelques minutes, puis ajouter le vinaigre de vin, le fond et l'eau. Laisser mijoter environ 30 minutes.

3. Au moment de servir, incorporer en fouettant les jaunes d'œufs battus. Répartir les croûtons dans 8 plats et verser la soupe chaude dessus.

Information nutritionnelle par portion : énergie 55 kcal ou 229 kJ ; protéines 1,6 g ; glucides 3,6 g (sucre = 0,6 g) ; gras 4 g (saturés = 1,3 g) ; cholestérol 53 mg ; calcium 13 mg ; fibres 0,4 g ; sodium 11 mg.

Soupe à l'ail et aux œufs avec croûtons à la polenta ++

Cette soupe savoureuse d'Andalousie, en Espagne, combine la polenta italienne et des œufs pochés pour donner un mets à la fois rassasiant et nutritif.

4 PORTIONS

15 ml (1 c. à soupe) d'huile d'olive

1 bulbe d'ail non pelé, divisé en gousses

4 tranches de pain ciabatta de la veille

1,2 l (5 tasses) de fond de volaille

1 pincée de safran

15 ml (1 c. à soupe) de vinaigre de vin blanc

4 œufs

Sel et poivre noir du moulin

Persil frais haché pour garnir

CROÛTONS À LA POLENTA

750 ml (3 tasses) de lait

175 g (1 tasse) de polenta à cuisson rapide

50 g (1/4 tasse) de beurre

1. Préchauffer le four à 200 °C (400 °F). Badigeonner d'huile la plaque de cuisson, puis y déposer l'ail et le pain. Rôtir environ 20 minutes. Laisser refroidir.

2. Entre temps, préparer la polenta. Porter le lait à ébullition dans une grande casserole et y verser graduellement la polenta en remuant constamment. Faire cuire environ 5 minutes en remuant fréquemment jusqu'à ce que la polenta se détache des bords de la casserole. Déposer la polenta sur une planche à découper en bois, puis l'abaisser à 1 cm (1/2 po) d'épaisseur. Laisser refroidir et couper en dés.

3. Extraire les gousses d'ail de leur pelure et les déposer dans un robot culinaire ou un mélangeur. Ajouter le pain déchiqueté en morceaux et 300 ml (1 1/4 tasse) de fond de volaille, puis mettre en purée lisse. Verser dans une casserole. Broyer le safran à l'aide d'un mortier et mouiller avec un peu de fond, puis incorporer à la soupe. Ajouter du fond de façon à éclaircir la soupe.

4. Faire fondre le beurre dans un poêlon et y faire cuire les cubes de polenta à feu vif de 1 à 2 minutes, en remuant jusqu'à ce qu'ils commencent à dorer. Égoutter sur un essuie-tout.

5. Assaisonner la soupe et réchauffer légèrement. Porter un poêlon d'eau à ébullition. Ajouter le vinaigre et réduire le feu pour laisser mijoter. Casser un œuf dans une petite assiette. Faire un tourbillon dans l'eau avec un couteau et y faire glisser l'œuf au milieu. Faire de même avec tous les œufs. Les pocher de 2 à 3 minutes. Déposer un œuf par plat, puis verser la soupe à la louche sur les œufs. Garnir de quelques croûtons et du persil.

Information nutritionnelle par portion : énergie 415 kcal ou 1 731 kJ ; protéines 13,4 g ; glucides 43,9 g (sucre = 0,9 g) ; gras 20,8 g (saturés = 8,6 g) ; cholestérol 217 mg ; calcium 57 mg ; fibres 1,9 g ; sodium 247 mg.

Soupe aux pois à l'ail +++

*Cette soupe savoureuse a un goût remarquablement doux et une texture très veloutée.
Elle est délicieuse garnie de menthe et accompagnée d'un bon morceau de pain de campagne.*

4 PORTIONS

25 g (2 c. à soupe) de beurre
1 gousse d'ail écrasée
900 g (8 tasses) de pois verts surgelés
1,2 l (5 tasses) de fond de volaille
Sel et poivre noir du moulin
Menthe pour garnir

1. Faire fondre le beurre dans une grande casserole et y ajouter l'ail. Faire frire doucement de 2 à 3 minutes pour ramollir, puis y déposer les pois. Poursuivre la cuisson 1 ou 2 minutes de plus, puis y verser le fond.

2. Porter le tout à ébullition, puis réduire à feu moyen et laisser mijoter. Couvrir et faire cuire jusqu'à ce que les pois aient ramolli. Laisser refroidir légèrement, de 5 à 6 minutes, puis mettre la soupe en purée lisse dans un robot culinaire ou un mélangeur. (Peut se faire en plusieurs étapes.)

3. Remettre la soupe dans la casserole et chauffer légèrement. Assaisonner de sel et de poivre. Garnir de menthe.

Information nutritionnelle par portion : énergie 233 kcal ou 965 kJ ; protéines 15,6 g ; glucides 25,5 g (sucre = 5,2 g) ; gras 8,5 g (saturés = 3,9 g) ; cholestérol 13 mg ; calcium 49 mg ; fibres 10,6 g ; sodium 40 mg.

Soupe à l'aubergine avec mozzarella et gremolata v (diète)

*La gremolata est une garniture italienne classique de zeste de citron et de persil frais ciselé.
Elle confère à cette soupe une saveur méditerranéenne piquante.*

6 PORTIONS

30 ml (2 c. à soupe) d'huile d'olive
2 échalotes hachées
2 gousses d'ail écrasées
1 kg (2 1/4 lb) d'aubergines pelées
   et coupées en gros morceaux
1 l (4 tasses) de fond de volaille
150 ml (2/3 tasse) de double-crème
   (épaisse)
30 ml (2 c. à soupe) de persil frais ciselé
175 g (6 oz) de mozzarella en tranches
Sel et poivre noir du moulin

GREMOLATA
2 gousses d'ail hachées fin
Zeste de 2 citrons
15 ml (1 c. à soupe) de persil frais ciselé

1. Faire chauffer l'huile dans une grande casserole; ajouter l'échalote et l'ail. Faire cuire de 4 à 5 minutes pour ramollir, puis ajouter l'aubergine et poursuivre la cuisson 25 minutes jusqu'à ce qu'elle soit tendre et dorée.

2. Incorporer le fond de volaille et faire cuire 5 minutes. Laisser refroidir un peu, puis mettre la soupe en purée lisse dans un robot culinaire ou un mélangeur. Remettre la soupe dans la casserole et réchauffer légèrement. Assaisonner de sel et de poivre. Ajouter la crème et le persil et porter à ébullition.

3. Mélanger les ingrédients de la gremolata dans un petit plat.

4. Déposer la soupe à la louche dans des plats. Mettre une tranche de mozzarella sur le dessus. Parsemer de gremolata. Servir.

Information nutritionnelle par portion : énergie 261 kcal ou 1 079 kJ ; protéines 7,5 g ; glucides 4,9 g (sucre = 4,3 g) ; gras 23,7 g (saturés = 13,1 g) ; cholestérol 51 mg ; calcium 137 mg ; fibres 3,5 g ; sodium 124 mg.

Velouté de champignons avec +++ crostinis nappés de fromage de chèvre

Ce velouté de champignons classique adopte une toute nouvelle allure grâce à de merveilleux « crostinis » à l'ail.

6 PORTIONS

25 g (2 c. à soupe) de beurre
1 oignon haché
1 gousse d'ail écrasée
450 g (6 tasses) de champignons (de Paris, cremini, café) coupés en morceaux
15 ml (1 c. à soupe) de farine tout usage
45 ml (3 c. à soupe) de sherry sec (xérès)
900 ml (3 3/4 tasse) de bouillon de légumes
150 ml (2/3 tasse) de double-crème (épaisse)
Sel et poivre noir du moulin
Brins de cerfeuil frais pour garnir

CROSTINIS
15 ml (1 c. à soupe) d'huile d'olive et un peu plus pour badigeonner
1 échalote hachée
115 g (1 1/2 tasse) de champignons de Paris hachés fin
15 ml (1 c. à soupe) de persil frais ciselé
6 têtes de champignons cremini
6 tranches de baguette
1 petite gousse d'ail
115 g (1 tasse) de fromage de chèvre onctueux

1. Faire fondre le beurre dans une casserole et y faire cuire l'oignon et l'ail pendant 5 minutes. Ajouter les champignons, couvrir et laisser cuire encore 10 minutes, en remuant de temps à autre. Incorporer et mélanger la farine, puis faire cuire 1 minute. Ajouter le sherry (xérès) et le bouillon, puis laisser mijoter 15 minutes. Laisser refroidir un peu avant de mettre en purée lisse.

2. Pour préparer les crostinis, faire chauffer l'huile dans un poêlon. Y déposer l'échalote et les champignons, et faire cuire pour les ramollir. Bien égoutter et hacher finement avec le persil.

3. Faire chauffer le gril du four. Badigeonner les têtes de champignons d'huile et les faire griller de 5 à 6 minutes. Faire griller le pain, le frotter d'ail et déposer une cuillerée de fromage dessus. Remplir les têtes de champignons grillées de la préparation de champignons et les déposer sur les crostinis.

4. Remettre la soupe dans la casserole et ajouter la crème. Assaisonner, puis chauffer doucement. Déposer un crostini sur la soupe dans chacun des plats et garnir de cerfeuil.

Information nutritionnelle par portion : énergie 313 kcal ou 1 305 kJ ; protéines 6,2 g ; glucides 26,8 g (sucre = 2,5 g) ; gras 20 g (saturés = 11 g) ; cholestérol 43 mg ; calcium 75 mg ; fibres 2,2 g ; sodium 283 mg.

Soupe aux œufs ++

Cette soupe simple et très nutritive est agrémentée de gingembre frais et des cinq épices chinoises traditionnelles. Sa préparation est rapide et son goût, très savoureux. Elle fait un plat de dernière minute idéal.

4 PORTIONS

**1,2 l (5 tasses) de fond de volaille
ou de bouillon de légumes**
**10 ml (2 c. à thé) de gingembre frais,
pelé et râpé**
10 ml (2 c. à thé) de sauce de soja allégée
5 ml (1 c. à thé) d'huile de sésame
5 ml (1 c. à thé) de cinq épices chinoises
15 ml (1 c. à soupe) de fécule de maïs
2 œufs
Sel et poivre noir du moulin
**1 oignon vert tranché mince en diagonale
et 15 ml (1 c. à soupe) de coriandre
grossièrement hachée (ou de persil
italien) pour garnir**

1. Déposer le fond ou le bouillon dans une casserole avec le gingembre, la sauce de soja, l'huile et les cinq épices. Porter à ébullition, puis laisser mijoter doucement environ 10 minutes.

2. Dans une tasse à mesurer, délayer la fécule de maïs dans 60 à 75 ml (4 à 5 c. à soupe) d'eau, puis incorporer au fond ou au bouillon. Faire cuire en remuant constamment jusqu'à ce que la soupe ait une consistance plus épaisse. Assaisonner de sel et de poivre au goût.

3. Battre les 2 œufs dans une tasse graduée ou à mesurer avec 30 ml (2 c. à soupe) d'eau froide, jusqu'à consistance mousseuse.

4. Porter la soupe à ébullition et y verser un filet d'œufs, en remuant vigoureusement avec des baguettes orientales. Choisir une tasse graduée ou à mesurer à bec fin en vue d'obtenir un filet d'œuf le plus mince possible. Garnir de l'oignon vert et de la coriandre et servir immédiatement.

Information nutritionnelle par portion : énergie 71 kcal ou 298 kJ ; protéines 3,3 g ; glucides 7,1 g (sucre = 0,2 g) ; gras 3,6 g (saturés = 0,9 g) ; cholestérol 95 mg ; calcium 16 mg ; fibres 0 g ; sodium 217 mg.

Soupe aux œufs et au fromage ✓

L'œuf et le fromage sont fouettés dans cette soupe chaude originaire de Rome, en Italie.
Il en résulte la texture légèrement brouillée qui la caractérise.

6 PORTIONS

3 œufs

45 ml (3 c. à soupe) de semoule

90 ml (6 c. à soupe) de parmesan râpé

1 pincée de muscade

**1,5 l (6 1/4 tasses) de fond de viande
ou de volaille, froid**

Sel et poivre noir du moulin

**12 tranches de pain de campagne
ou de pain ciabatta au service**

1. Battre les œufs, puis incorporer la semoule et le fromage. Ajouter la muscade. Incorporer en battant 250 ml (1 tasse) du fond de viande ou de volaille. Verser le tout dans une tasse graduée ou à mesurer.

2. Verser le reste du fond dans une grande casserole et faire mijoter. Remuer de temps à autre.

3. Juste avant le moment de servir, verser le mélange d'œufs dans le liquide chaud en fouettant. Augmenter un peu le feu et porter à légère ébullition. Assaisonner et faire cuire 3 minutes.

4. Pour servir, faire griller les tranches de pain de campagne ou de ciabatta et en déposer deux dans chaque plat. Verser la soupe chaude sur le pain à la louche. Servir immédiatement.

Information nutritionnelle par portion : énergie 245 kcal ou 1 030 kJ ; protéines 14,1 g ; glucides 27,5 g
(sucre = 1,3 g) ; gras 9,4 g (saturés = 4,1 g) ; cholestérol 110 mg ; calcium 246 mg ; fibres 1,1 g ; sodium 424 mg.

« Chowder » de maïs et de piment rouge +++

Le maïs et le piment rouge font bon ménage, et dans ce mets, le maïs en crème et le lait viennent tempérer le feu du piment rouge.

6 PORTIONS

2 tomates pelées

1 oignon haché en gros morceaux

1 boîte de 375 g (13 oz) de maïs en crème

2 poivrons rouges coupés en deux et
évidés

15 ml (1 c. à soupe) d'huile d'olive et un
peu plus pour badigeonner

3 piments rouges évidés et coupés en
rondelles

2 gousses d'ail hachées

5 ml (1 c. à thé) de cumin moulu

5 ml (1 c. à thé) de coriandre moulue

600 ml (2 1/2 tasses) de lait

350 ml (1 1/2 tasse) de fond de volaille

3 épis de maïs, grains enlevés

450 g (1 lb) de pommes de terre en petits
dés

60 ml (4 c. à soupe) de double-crème
(épaisse)

60 ml (4 c. à soupe) de persil frais ciselé

Sel et poivre noir du moulin

1. Mettre les tomates et l'oignon en purée lisse dans un robot culinaire ou un mélangeur. Ajouter le maïs en crème et travailler de nouveau. Réserver. Faire chauffer le gril.

2. Placer les poivrons sur la grille, pelure vers le haut, et badigeonner d'huile. Les faire griller 10 minutes jusqu'à ce que la pelure noircisse et fasse des cloques. Les mettre dans un plat et couvrir d'une pellicule plastique (laisser refroidir). Peler le poivron, puis le couper en morceaux. Réserver.

3. Faire chauffer l'huile dans une casserole, puis ajouter les piments et l'ail. Faire cuire en remuant de 2 à 3 minutes pour les ramollir. Ajouter le cumin et la coriandre et cuire encore 1 minute. Incorporer la préparation de maïs et poursuivre la cuisson 8 minutes en remuant de temps à autre.

4. Ajouter le fond de volaille et le lait, puis incorporer les grains de maïs, les pommes de terre et les poivrons rouges. Assaisonner au goût. Faire cuire de 15 à 20 minutes jusqu'à ce que les pommes de terre et le maïs soient tendres. Mettre dans des plats, ajouter la crème et parsemer de persil.

Information nutritionnelle par portion : énergie 343 kcal ou 1 448 kJ ; protéines 9,4 g ; glucides 55,4 g (sucre = 23,2 g) ; gras 10,9 g (saturés = 5,1 g) ; cholestérol 20 mg ; calcium 147 mg ; fibres 4 g ; sodium 383 mg.

« Chowder » de maïs et de pommes de terre +++

Cette soupe onctueuse et pleine de bonnes bouchées regorge de la riche saveur sucrée du maïs. Elle est excellente accompagnée d'un gros morceau de pain de campagne et saupoudrée d'un peu de cheddar râpé.

4 PORTIONS

1 oignon haché

1 gousse d'ail écrasée

1 pomme de terre moyenne coupée en dés

2 côtes de céleri tranchées

1 petit poivron vert évidé, coupé en deux
  et tranché

30 ml (2 c. à soupe) d'huile de tournesol

25 g (2 c. à soupe) de beurre

600 ml (2 1/2 tasses) de fond, de bouillon
  ou d'eau

300 ml (1 1/4 tasse) de lait

1 boîte de 200 g (7 oz) de flageolets
  (petits haricots cannellini)

1 boîte de 300 g (11 oz) de maïs en grains

1 bonne pincée de sauge séchée

Sel et poivre noir du moulin

Cheddar râpé pour garnir

1. Faire chauffer le beurre et l'huile dans une casserole et y faire cuire l'oignon, l'ail, la pomme de terre et le poivron vert.

2. Faire cuire jusqu'à ce que les légumes grésillent, puis réduire le feu à très doux. Couvrir et laisser cuire doucement environ 10 minutes. Remuer de temps à autre afin d'empêcher les ingrédients de coller.

3. Verser le fond, le bouillon ou l'eau dans la casserole. Saler et poivrer et porter à ébullition. Réduire le feu, couvrir de nouveau et laisser mijoter 15 minutes jusqu'à ce que les légumes soient cuits.

4. Ajouter le lait, les flageolets et le maïs, avec le liquide, ainsi que la sauge. Laisser mijoter encore 5 minutes sans couvercle. Rectifier l'assaisonnement et servir la soupe chaude saupoudrée de fromage râpé.

Information nutritionnelle par portion : énergie 251 kcal ou 1 052 kJ ; protéines 9,7 g ; glucides 25,9 g (sucre = 9,3 g) ; gras 12,9 g (saturés = 4,9 g) ; cholestérol 18 mg ; calcium 128 mg ; fibres 5,5 g ; sodium 1 154 mg.

Soupe aux poireaux et à l'avoine ✓

Cette soupe traditionnelle irlandaise est mieux connue sous le nom de « brotchan folchtep » ou de « brotchan roy ». Elle comprend des poireaux, du lait et de l'avoine... trois ingrédients de base en Irlande depuis des siècles.

DE 4 À 6 PORTIONS

1,2 l (5 tasses) environ de fond
de volaille et de lait, mélangés
30 ml (2 c. à soupe) de semoule
d'avoine fine
25 g (2 c. à soupe) de beurre
6 gros poireaux lavés et coupés en
rondelles de 2 cm (3/4 po)
Sel de mer et poivre noir du moulin
1 pincée de macis moulu
30 ml (2 c. à soupe) de persil frais ciselé
Crème fleurette (légère) et feuilles de
persil ou de ciboulette pour garnir

1. Porter le fond et le lait à ébullition à feu moyen et saupoudrer la semoule d'avoine sur le liquide. Bien mélanger afin d'éviter la formation de grumeaux. Laisser mijoter doucement.

2. Faire fondre le beurre dans une autre casserole et y faire cuire les poireaux à feu doux pour les ramollir. Ajouter alors le fond. Laisser mijoter de 15 à 20 minutes jusqu'à ce que l'avoine soit bien cuite.

3. Assaisonner de sel, de poivre et de macis, puis servir dans des plats chauds. Garnir d'une spirale de crème, ainsi que de persil frais ciselé ou de ciboulette, au goût.

Information nutritionnelle par portion : énergie 121 kcal ou 505 kJ ; protéines 4,2 g ; glucides 11,3 g (sucre = 4,5 g) ; gras 6,8 g (saturés = 3,5 g) ; cholestérol 13 mg ; calcium 53 mg ; fibres 4,9 g ; sodium 44 mg.

Soupe aux poireaux et au fromage bleu ✓

Le fromage bleu, avec sa saveur piquante, est essentiel à cette soupe consistante. Incorporer les restes de fromage à des soupes est une bonne façon de les utiliser.

6 PORTIONS

3 gros poireaux
50 g (1/4 tasse) de beurre
30 ml (2 c. à soupe) d'huile
115 g (4 oz) de fromage bleu irlandais,
    de type « Cashel Blue »,
    grossièrement râpé
15 g (2 c. à soupe) de farine tout usage
15 ml (1 c. à soupe) de moutarde en
    grains irlandaise, ou au goût
1,5 l (6 1/4 tasses) de fond de volaille
Poivre noir moulu
50 g (1/2 tasse) de fromage râpé et de
    ciboulette ou d'oignon vert pour garnir

1. Couper les poireaux en fines rondelles. Faire chauffer l'huile et le beurre dans une grande casserole à fond épais et y faire cuire doucement les poireaux à couvert de 10 à 15 minutes, ou pour les ramollir sans les dorer.

2. Incorporer le fromage en remuant, à feu doux, jusqu'à ce qu'il fonde. Ajouter la farine et laisser cuire 2 minutes, en remuant constamment avec une cuillère en bois. Ajouter ensuite le poivre noir moulu et la moutarde, au goût.

3. Verser graduellement le fond dans la casserole en brassant constamment pour l'incorporer. Porter la soupe à ébullition, couvrir, puis laisser mijoter à feu très doux environ 15 minutes. Rectifier l'assaisonnement.

4. Servir la soupe garnie de fromage râpé et de ciboulette ou d'oignon vert ciselé. Accompagner de pain frais.

Information nutritionnelle par portion : énergie 205 kcal ou 852 kJ ; protéines 8,2 g ; glucides 7,9 g (sucre = 2,2 g) ; gras 15,7 g (saturés = 9,9 g) ; cholestérol 40 mg ; calcium 188 mg ; fibres 2,2 g ; sodium 347 mg.

Soupe à l'oignon avec biscottes au gruyère +++

Cette soupe est sûrement la plus populaire de toutes les soupes à l'oignon. Jadis, on la servait tôt le matin comme plat de résistance aux ouvriers des Halles (marché à Paris, en France).

6 PORTIONS

50 g (1/4 tasse) de beurre

15 ml (1 c. à soupe) d'huile d'olive

2 kg (4 1/2 lb) d'oignons pelés
   et tranchés

5 ml (1 c. à thé) de thym frais

5 ml (1 c. à thé) de sucre fin

15 ml (1 c. à soupe) de vinaigre
   de sherry (xérès)

1,5 l (6 1/4 tasses) de bon fond de bœuf,
   de volaille ou de canard

25 ml (1 1/2 c. à soupe) de farine
   tout usage

150 ml (2/3 tasse) de vin blanc sec

45 ml (3 c. à soupe) de brandy

Sel et poivre noir du moulin

BISCOTTES

6 à 12 tranches de baguette
   de la veille

1 gousse d'ail coupée en deux

15 ml (1 c. à soupe) de moutarde
   française

115 g (1 tasse) de gruyère
   grossièrement râpé

1. Faire fondre le beurre et l'huile dans une grosse casserole. Ajouter l'oignon et faire cuire à feu moyen de 5 à 8 minutes. Incorporer le thym. Réduire le feu à très doux, couvrir et laisser cuire l'oignon de 20 à 30 minutes. Remuer fréquemment jusqu'à ce qu'il soit très mou et d'un jaune pâle.

2. Retirer le couvercle et augmenter le feu un peu. Ajouter le sucre et faire cuire de 5 à 10 minutes jusqu'à ce que l'oignon commence à dorer. Ajouter le vinaigre de sherry (xérès) et augmenter le feu de nouveau. Poursuivre la cuisson jusqu'à ce que l'oignon soit d'un doré foncé, soit environ 20 minutes.

3. Dans une autre casserole, porter le fond à ébullition. Mélanger la farine aux oignons et faire cuire 2 minutes, puis déposer graduellement dans le liquide. Ajouter le vin et le brandy, et laisser mijoter de 10 à 15 minutes.

4. Pour les biscottes, préchauffer le four à 150 °C (300 °F). Déposer les tranches de pain sur une plaque huilée et les faire griller de 15 à 20 minutes jusqu'à ce qu'elles soient croquantes et dorées. Frotter la face coupée de l'ail sur le pain et badigeonner de moutarde. Saupoudrer de gruyère râpé.

5. Préchauffer le gril. Verser la soupe à la louche dans un grand plat de service ou six petits plats résistant à la chaleur. Déposer les biscottes sur la soupe, puis faire griller jusqu'à ce que le fromage fasse des bulles. Servir immédiatement.

Information nutritionnelle par portion : énergie 484 kcal ou 2 030 kJ ; protéines 15,3 g ; glucides 67,2 g (sucre = 21,5 g) ; gras 15,1 g (saturés = 8,7 g) ; cholestérol 36 mg ; calcium 314 mg ; fibres 6,4 g ; sodium 611 mg.

Soupe aux légumes rôtis avec pain aux tomates séchées +++

L'hiver rencontre l'été dans cette soupe regorgeant de légumes rôtis. Servez-la avec du pain frais rehaussé de tomates séchées.

4 PORTIONS

4 panais coupés en quatre sur la longueur

2 oignons rouges coupés en petits quartiers

4 carottes coupées en gros morceaux

2 poireaux coupés en gros morceaux

1 rutabaga (navet) coupé en bouchées

4 pommes de terre coupées en gros morceaux

60 ml (4 c. à soupe) d'huile d'olive

Quelques brins de thym frais

1 bulbe d'ail séparé en gousses avec leur pelure

1 l (4 tasses) de bouillon de légumes

Sel et poivre noir du moulin

Brins de thym pour garnir

PAIN AUX TOMATES SÉCHÉES

1 pain ciabatta d'environ 275 g (10 oz)

75 g (6 c. à soupe) de beurre

1 gousse d'ail écrasée

4 tomates séchées hachées fin

30 ml (2 c. à soupe) de persil frais ciselé

1. Préchauffer le four à 200 °C (400 °F). Couper les bouts épais des quartiers de panais en quatre, puis les déposer sur une plaque à cuisson avec les autres légumes. Asperger d'huile d'olive, puis déposer les brins de thym et les gousses d'ail non pelées. Bien mélanger et faire griller au four 45 minutes, jusqu'à ce que les légumes soient cuits et quelque peu grillés.

2. Pendant ce temps, préparer le pain aux tomates séchées. Faire des entailles en diagonale dans le ciabatta, sans le couper entièrement. Mélanger le beurre, l'ail, les tomates séchées et le persil. Étaler cette préparation dans chacune des entailles. Comprimer le pain et l'envelopper dans une feuille de papier d'aluminium. Puis le mettre au four 15 minutes en ouvrant le papier les 5 dernières minutes.

3. Jeter les brins de thym qui couvrent les légumes rôtis. Pincer les gousses pour faire sortir l'ail de la pelure. Mettre en purée la moitié des légumes avec le bouillon dans un robot culinaire ou un mélangeur jusqu'à consistance presque lisse. Verser dans la casserole et incorporer le reste des légumes. Porter à ébullition et assaisonner.

4. Déposer la soupe à la louche dans de petits plats. Garnir de thym et servir immédiatement

Information nutritionnelle par portion : énergie 511 kcal ou 2 146 kJ ; protéines 13,9 g ; glucides 72,6 g (sucre = 18,9 g) ; gras 20,4 g (saturés = 10,6 g) ; cholestérol 40 mg ; calcium 218 mg ; fibres 12,1 g ; sodium 521 mg.

Soupe risotto à la courge musquée et au fromage bleu ✓

En fait, il s'agit d'un risotto très liquide, mais il fait plus que ressembler à une soupe et constitue une entrée idéale pour un dîner de fête.

4 PORTIONS

25 g (2 c. à soupe) de beurre

30 ml (2 c. à soupe) d'huile d'olive

2 oignons hachés fin

1/2 côte de céleri, tranchée

1 petite courge musquée pelée,
    évidée et coupée en dés

15 ml (1 c. à soupe) de sauge ciselée

300 g (1 1/2 tasse) de riz pour risotto

1,2 l (5 tasses) de fond de volaille chaud

30 ml (2 c. à soupe) de double-crème
    (épaisse)

30 ml (2 c. à soupe) d'huile d'olive

4 grosses feuilles de sauge

115 g (4 oz) de fromage bleu en petits dés

Sel et poivre noir du moulin

1. Faire chauffer le beurre et l'huile dans une grande casserole à feu doux. Ajouter l'oignon et le céleri, et faire cuire de 4 à 5 minutes pour les ramollir. Incorporer la courge musquée et laisser cuire de 3 à 4 minutes, puis ajouter la sauge.

2. Ajouter le riz et le faire cuire de 1 à 2 minutes jusqu'à ce que les grains commencent à devenir transparents. Incorporer le fond de volaille, une louche à la fois. Laisser cuire jusqu'à ce que le fond se soit évaporé avant d'en ajouter d'autre. Continuer d'ajouter le fond ainsi jusqu'à l'obtention d'une texture plutôt humide. Assaisonner et incorporer la crème.

3. Entre-temps, faire chauffer l'huile dans un poêlon et y faire frire la sauge pendant quelques secondes pour la rendre croustillante.

4. Ajouter le fromage à la soupe risotto et la déposer dans des plats à la louche. Garnir d'une feuille de sauge frite.

Information nutritionnelle par portion : énergie 505 kcal ou 2 100 kJ ; protéines 9,2 g ; glucides 63,7 g (sucre = 5,7 g) ; gras 23 g (saturés = 8,3 g) ; cholestérol 26 mg ; calcium 110 mg ; fibres 2,7 g ; sodium 91 mg.

Soupe castillane à l'ail✓

Ce potage riche et foncé est originaire de la région de La Mancha, en Espagne, reconnue pour ses étés chauds et secs. Son goût relevé va de pair avec le climat aride de la région.

4 PORTIONS

30 ml (2 c. à soupe) d'huile d'olive

4 grosses gousses d'ail pelées

4 tranches de pain de campagne de la veille

20 ml (4 c. à thé) de paprika

1 l (4 tasses) de fond de bœuf

1,5 ml (1/4 c. à thé) de cumin moulu

4 œufs frais de poules élevées en liberté

Sel et poivre noir du moulin

Persil frais ciselé pour garnir

1. Préchauffer le four à 230 °C (450 °F). Faire chauffer l'huile dans une grande casserole. Ajouter les gousses d'ail entières pelées et les faire cuire jusqu'à ce qu'elles soient dorées. Retirer et réserver. Faire dorer les morceaux de pain dans l'huile, puis mettre de côté.

2. Déposer 15 ml (1 c. à soupe) de paprika dans la casserole et laisser frire quelques secondes. Y ajouter le fond de bœuf, le cumin et le reste du paprika, puis l'ail réservé en écrasant les gousses avec le dos d'une cuillère en bois. Assaisonner au goût, puis laisser cuire 5 minutes.

3. Briser le pain frit en bouchées et l'incorporer à la soupe. Déposer le potage dans des plats allant au four. Casser délicatement un œuf dans chaque plat et faire cuire au four environ 3 minutes jusqu'à ce que l'œuf soit ferme. Parsemer de persil ciselé, puis servir immédiatement.

Information nutritionnelle par portion : énergie 202 kcal ou 843 kJ ; protéines 9,3 g ; glucides 15,3 g (sucre = 1,5 g) ; gras 12,2 g (saturés = 2,4 g) ; cholestérol 190 mg ; calcium 69 mg ; fibres 0,6 g ; sodium 202 mg.

Soupe grecque à l'aubergine et à la courgette √

Voici une fusion de saveurs en provenance des îles grecques où l'on sert cette savoureuse soupe accompagnée de « tzatziki », le savoureux mélange de yaourt onctueux au concombre.

4 PORTIONS

2 grosses aubergines coupées en gros
    morceaux

4 grosses courgettes coupées en gros
    morceaux

1 oignon haché gros morceaux

4 gousses d'ail hachées gros morceaux

45 ml (3 c. à soupe) d'huile d'olive

1,2 l (5 tasses) de bouillon de légumes

15 ml (1 c. à soupe) d'origan frais haché

Sel et poivre du moulin

Brins de menthe pour garnir

TZATZIKI

1 concombre pelé, évidé et coupé en dés

10 ml (2 c. à thé) de sel

2 gousses d'ail écrasées

5 ml (1 c. à thé) de vinaigre de vin blanc

225 g (8 oz) de yaourt grec (nature et
    filtré aux É.-U.)

Petite botte de menthe fraîche hachée

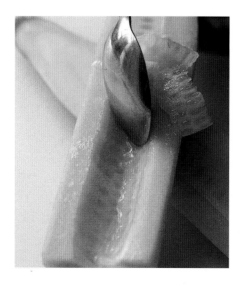

1. Préchauffer le four à 200 °C (400 °F). Déposer les aubergines et les courgettes sur une plaque de cuisson en métal. Ajouter l'oignon et l'ail, puis asperger d'huile d'olive. Faire rôtir 35 minutes, en tournant les ingrédients une fois, jusqu'à ce qu'ils soient cuits et légèrement grillés.

2. Placer la moitié des légumes grillés dans un robot culinaire ou un mélangeur. Ajouter le bouillon et mettre en purée presque lisse. Verser dans une grande casserole avec le reste des légumes. Porter à ébullition, assaisonner et ajouter l'origan.

3. Pour préparer le tzatziki, mettre le concombre frais dans un tamis et le saupouder de sel. Laisser reposer 30 minutes. Mêler l'ail avec le vinaigre et incorporer dans le yaourt. Essuyer le concombre avec un essuie-tout puis l'ajouter au yaourt. Assaisonner et incorporer la menthe. Réfrigérer jusqu'à utilisation.

4. Déposer la soupe à la louche dans de petits plats. Présenter le tzatziki dans un plat de service afin que les convives en ajoutent une ou deux cuillerées à leur soupe.

Information nutritionnelle par portion : énergie 188 kcal ou 778 kJ ; protéines 6,9 g ; glucides 8,5 g (sucre = 7,3 g) ; gras 14,9 g (saturés = 4,3 g) ; cholestérol 0 mg ; calcium 134 mg ; fibres 3,6 g ; sodium 1 027 mg.

Soupe aux légumes balinaise✓

L'ingrédient de base de cette soupe populaire de Bali est les haricots, mais on peut cependant utiliser des légumes de saison en plus ou à la place des haricots. La recette comprend aussi une pâte de crevettes connue sur l'île sous le nom de « terasi ».

8 PORTIONS

- 225 g (8 oz) de petits haricots verts (français)
- 1,2 l (5 tasses) d'eau légèrement salée
- 1 gousse d'ail hachée grossièrement
- 2 noix de macadamia ou 4 amandes finement broyées
- 1 cube de 1 cm (1/2 po) de pâte de crevettes
- 10 à 15 ml (2 à 3 c. à soupe) de graines de coriandre, grillées à sec

- 30 ml (2 c. à soupe) d'huile végétale
- 1 oignon tranché fin
- 1 boîte de 400 ml (14 oz) de lait de noix de coco
- 2 feuilles de laurier
- 225 g (4 tasses) de pousses de haricots
- 8 quartiers de citrons
- 30 ml (2 c. à soupe) de jus de citron
- Sel et poivre noir du moulin

1. Équeuter les haricots verts, puis les couper en petits morceaux. Porter l'eau légèrement salée à ébullition, y déposer les haricots et laisser cuire de 3 à 4 minutes. Égoutter. Réserver l'eau de cuisson et mettre les haricots de côté.

2. Dans un mortier ou un robot culinaire, broyer finement l'ail haché, les noix de macadamia ou les amandes, la pâte de crevettes et les graines de coriandre.

3. Faire chauffer l'huile dans une casserole ou un wok et y faire cuire l'oignon jusqu'à transparence. Retirer à l'aide d'une cuillère à égoutter. Déposer la pâte de noix dans la casserole ou le wok et faire cuire 2 minutes sans laisser dorer.

4. Verser le liquide réservé. Enlever entre 45 et 60 ml (de 3 à 4 c. à soupe) de la crème flottant sur le dessus de la boîte de lait de noix de coco et réserver. Mettre le reste du lait de noix de coco dans le wok. Porter à ébullition et ajouter les feuilles de laurier. Faire cuire entre 15 et 20 minutes, non couvert.

5. Juste avant de servir, réserver quelques haricots verts, des oignons frits et des pousses de haricots pour garnir. Mélanger le reste à la soupe; ajouter les quartiers de citron, le lait de noix de coco réservé, le jus de citron et les assaisonnements. Bien mélanger. Verser dans des plats individuels et servir garni des haricots, des oignons frits et des pousses de haricots.

Information nutritionnelle par portion : énergie 54 kcal ou 224 kJ ; protéines 2,1 g ; glucides 5,2 g (sucre = 4,2 g) ; gras 2,8 g (saturés = 0,4 g) ; cholestérol 0 mg ; calcium 38 mg ; fibres 1,3 g ; sodium 57 mg.

Borscht aigre-doux au chou, aux betteraves et aux tomates ✓

Il existe de nombreuses versions de cette soupe juive traditionnelle, qui peut être servie chaude ou froide. Celle-ci déborde de chou, de tomates et de pommes de terre.

6 PORTIONS

1 oignon haché

1 carotte hachée

4 à 6 betteraves crues ou emballées
    sous vide (cuites, mais non marinées) :
    3 ou 4 coupées en dés, et 1 ou 2 râpées
    grossièrement

1 boîte de 400 g (14 oz) de tomates

4 à 6 pommes de terre nouvelles

1 petit chou blanc coupé en fines lanières

1 l (4 tasses) de bouillon de légumes

45 ml (3 c. à soupe) de sucre

30 à 45 ml (2 à 3 c. à soupe) de vin blanc,
    de vinaigre de cidre ou d'acide citrique

45 ml (3 c. à soupe) d'aneth frais haché,
    et un peu plus pour garnir

Sel et poivre noir du moulin

Crème sure pour garnir

Pain de seigle beurré pour accompagner

1. Déposer l'oignon, la carotte, les betteraves en dés, les tomates, les pommes de terre, le chou et le bouillon dans une grande casserole. Porter à ébullition, réduire le feu et laisser mijoter 30 minutes ou jusqu'à ce que les pommes de terre soient cuites.

2. Ajouter les betteraves râpées, le sucre et le vin, le vinaigre de cidre ou l'acide citrique et faire cuire 10 minutes. Goûter pour vérifier si la saveur aigre-douce est bien équilibrée. Ajouter du sucre ou du vinaigre au besoin. Assaisonner.

3. Incorporer l'aneth haché à la soupe et la déposer immédiatement dans des plats chauds. Garnir chaque plat d'une cuillerée comble de crème sure et d'un peu d'aneth. Servir avec du pain de seigle beurré.

Information nutritionnelle par portion : énergie 111 kcal ou 470 kJ ; protéines 3,2 g ; glucides 24,6 g (sucre = 17,8 g) ; gras 0,6 g (saturés = 0,1 g) ; cholestérol 0 mg ; calcium 65 mg ; fibres 3,8 g ; sodium 52 mg.

Soupe aux légumes thaïlandaise ††

Voici une soupe de Thaïlande très rassasiante. En outre, elle est rapide et facile à préparer.
Elle est aussi polyvalente, car vous pouvez varier les légumes selon leur disponibilité.

4 PORTIONS

1 œuf
15 ml (1 c. à soupe) d'huile
   de cacahuètes (d'arachides)
900 ml (3 3/4 tasses) de bouillon
   de légumes
2 grosses carottes en petits dés
4 feuilles externes d'un chou de Savoie
   (de Milan) émincées
30 ml (2 c. à soupe) de sauce de soja
2,5 ml (1/2 c. à thé) de sucre granulé
2,5 ml (1/2 c. à thé) de poivre noir
   du moulin
Feuilles de coriandre fraîche pour garnir

1. Casser l'œuf dans un plat et le battre légèrement à la fourchette. Faire chauffer l'huile dans un petit poêlon sans la faire fumer; y verser l'œuf en inclinant le poêlon afin de recouvrir toute la surface. Faire cuire l'œuf à feu moyen.

2. Faire glisser l'œuf du poêlon et le rouler comme une crêpe. Le tailler en rondelles de 5 mm (1/4 po) et réserver pour la garniture.

3. Verser le bouillon dans une grande casserole. Ajouter les carottes et le chou, et porter à ébullition. Réduire le feu et laisser mijoter 5 minutes. Ajouter la sauce de soja, le sucre et le poivre.

4. Bien mélanger, puis verser dans des plats réchauffés au préalable. Garnir chaque portion de lanières d'œuf et de feuilles de coriandre.

Information nutritionnelle par portion : énergie 64 kcal ou 264 kJ ; protéines 2,3 g ; glucides 4,3 g (sucre = 4,1 g) ; gras 4,3 g (saturés = 0,7 g) ; cholestérol 48 mg ; calcium 27 mg ; fibres 1,1 g ; sodium 560 mg.

Soupe aux pommes de terre de Goa avec « samoussas » aux pois épicés

Dans l'État de Goa, en Inde, cette soupe constitue un repas en soi. La soupe et les samoussas sont faciles et rapides à préparer. Vous obtenez un déjeuner végétarien à la fois délicieux et rassasiant.

4 PORTIONS

60 ml (4 c. à soupe) d'huile de tournesol

10 ml (2 c. à thé) de graines de moutarde noires

1 gros oignon haché

1 piment rouge évidé et haché

2,5 ml (1/2 c. à thé) de curcuma

1,5 ml (1/4 c. à thé) de poivre de Cayenne

900 g (2 lb) de pommes de terre, en cubes

4 feuilles de cari fraîches

750 ml (3 tasses) d'eau

225 g (8 oz) d'épinards, feuilles déchiquetées

400 ml (1 2/3 tasse) de lait de noix de coco

1 grosse poignée de feuilles de coriandre fraîche

Sel et poivre noir du moulin

PÂTE DES SAMOUSSAS

275 g (2 1/2 tasses) de farine tout usage

1,5 ml (1/4 c. à thé) de sel

30 ml (2 c. à soupe) d'huile de tournesol

150 ml (2/3 tasse) d'eau chaude

GARNITURE DES SAMOUSSAS

60 ml (4 c. à soupe) d'huile de tournesol

1 petit oignon haché fin

175 g (1 1/2 tasse) de pois surgelés, décongelés

15 ml (1 c. à soupe) de gingembre frais râpé

1 piment vert fort évidé et haché fin

45 ml (3 c. à soupe) d'eau

350 g (12 oz) de pommes de terre cuites, en petits dés

7,5 ml (1 1/2 c. à thé) de coriandre moulue

5 ml (1 c. à thé) de garam masala

7,5 ml (1 1/2 c. à thé) de cumin moulu

1,5 ml (1/4 c. à thé) de poivre de Cayenne

10 ml (2 c. à thé) de jus de citron

30 ml (2 c. à soupe) de coriandre fraîche ciselée

De l'huile végétale pour frire

1. Préparer la pâte des samoussas. Mélanger la farine et le sel dans un plat, et former un cratère au centre. Ajouter l'huile et l'eau et mélanger jusqu'à la formation d'une pâte molle. Pétrir un peu sur une surface légèrement enfarinée. Envelopper d'une pellicule plastique et réfrigérer 30 minutes.

2. Pour la garniture, faire chauffer l'huile dans un poêlon et ajouter l'oignon. Faire cuire de 6 à 7 minutes pour dorer. Ajouter les pois, le gingembre, le piment et l'eau. Couvrir et faire cuire de 5 à 6 minutes. Ajouter les pommes de terre, les épices et le jus de citron. Couvrir et laisser cuire à feu doux de 2 à 3 minutes. Incorporer la coriandre et bien assaisonner. Laisser refroidir.

3. Séparer la pâte en 8 portions. Étaler chaque morceau de pâte en un cercle de 18 cm (7 po). Le reste de la pâte doit être recouverte. Couper le cercle en deux et déposer 30 ml (2 c. à soupe) de la garniture sur chacune des moitiés près d'une des extrémités. Mouiller les bords de la pâte, puis replier le reste de la pâte sur la garniture. Sceller les bords en formant un triangle. Répéter avec la pâte et la garniture restantes.

4. Faire chauffer l'huile de friture à 190 °C (375 °F) ou jusqu'à ce qu'un morceau de pain flotte et fasse des bulles en 30 secondes. Faire frire les samoussas de 4 à 5 minutes. Tourner une seule fois. Égoutter sur un essuie-tout.

5. Pour préparer la soupe, faire chauffer l'huile dans une grande casserole. Ajouter les graines de moutarde, couvrir et cuire jusqu'à ce qu'elles commencent à éclater. Incorporer l'oignon et le piment, et faire cuire de 5 à 6 minutes pour les ramollir. Ajouter le curcuma, le poivre de Cayenne, les pommes de terre, les feuilles de cari et l'eau. Couvrir et faire cuire à feu doux 15 minutes jusqu'à ce que les pommes de terre soient cuites; remuer de temps à autre.

6. Ajouter les épinards et faire poursuivre la cuisson 5 minutes. Assaisonner de sel et de poivre noir, puis ajouter les feuilles de coriandre avant de transférer la soupe à la louche dans des plats individuels. Servir avec les samoussas aux légumes.

Information nutritionnelle par portion : énergie 836 kcal ou 3 503 kJ ; protéines 16,7 g ; glucides 112 g (sucre = 8,6 g) ; gras 38,7 g (saturés = 4,9 g) ; cholestérol 0 mg ; calcium 227 mg ; fibres 8,9 g ; sodium 117 mg.

« Laksa » aux shiitakes

La saveur prononcée des champignons shiitakes, qui rappelle la viande, contraste avec la douceur des nouilles de ce plat qui tire son inspiration de la soupe classique malaisienne appelée « laksa de Penang ».

6 PORTIONS

150 g (2 1/2 tasses) de champignons shiitakes séchés

1,2 l (5 tasses) de bouillon de légumes fumant

30 ml (2 c. à soupe) de poudre de tamarin

250 ml (1 tasse) d'eau chaude

6 gros piments rouges séchés, équeutés et évidés

2 tiges de citronnelle hachée fin

5 ml (1 c. à thé) de curcuma moulu

15 ml (1 c. à soupe) de galangal

1 oignon haché

5 ml (1 c. à thé) de poudre de crevettes séchées

30 ml (2 c. à soupe) d'huile

10 ml (2 c. à thé) de sucre de palme

175 g (6 oz) de vermicelle de riz

1 oignon rouge pelé et tranché fin

1 petit concombre pelé, évidé et coupé en lanières

1 poignée de feuilles de menthe fraîche pour garnir

1. Déposer les shiitakes séchés dans un plat et couvrir de bouillon de légumes fumant. Mettre de côté et laisser tremper 30 minutes.

2. Déposer la poudre de tamarin dans un plat et y verser l'eau chaude. Écraser la pâte sur les parois du plat. Égoutter et réserver le liquide. Jeter la pâte.

3. Faire tremper les piments dans suffisamment d'eau chaude pour les recouvrir pendant 5 minutes, puis égoutter. Réserver le liquide. Travailler la citronnelle, le curcuma, le galangal, l'oignon, les piments et la poudre de crevettes au robot culinaire ou au mélangeur en ajoutant un peu de l'eau des piments afin d'obtenir une pâte.

4. Faire chauffer l'huile dans une casserole à fond épais et y faire cuire la pâte à feu très doux de 4 à 5 minutes jusqu'à ce qu'un parfum s'en dégage. Ajouter l'eau du tamarin et porter à ébullition. Laisser mijoter 5 minutes, puis retirer du feu.

5. Égoutter les champignons en réservant le bouillon. Jeter les tiges des champignons, puis couper ces derniers en deux ou en quatre. Ajouter à la casserole avec le liquide réservé, le bouillon restant et le sucre de palme. Laisser mijoter de 25 à 30 minutes ou jusqu'à ce qu'ils soient cuits.

6. Faire cuire le vermicelle de riz selon les directives du fabricant. Égoutter et diviser dans 6 plats. Garnir de l'oignon et du concombre, puis couvrir de soupe à la louche. Décorer de menthe et servir.

Information nutritionnelle par portion : énergie 152 kcal ou 635 kJ ; protéines 3,2 g ; glucides 25,9 g (sucre = 2,6 g) ; gras 4 g (saturés = 0,5 g) ; cholestérol 0 mg ; calcium 14 mg ; fibres 0,6 g ; sodium 4 mg.

Soupes aux haricots, aux pâtes, et aux nouilles

Les soupes à base de légumineuses, soit des pois, des haricots ou des lentilles, sont très nutritives, car elles regorgent de protéines, de fibres, de minéraux et de vitamines du complexe B, sans compter qu'elles sont faibles en gras. Les soupes aux pâtes consistantes sont idéales au déjeuner ou comme dîner léger. Les nouilles sont un ingrédient essentiel des soupes orientales. On en trouve une multitude de tailles, de formes et de saveurs.

Potage américain aux haricots rouges avec trempette « guacamole » ⚊⚊⚊

Cette soupe de style tex-mex (Texas et Mexique) est servie avec une « salsa » à l'avocat et à la lime tout à fait rafraîchissante. Si vous aimez le goût des piments forts, n'hésitez pas à ajouter du poivre de Cayenne pour une expérience culinaire enflammée.

6 PORTIONS

30 ml (2 c. à soupe) d'huile d'olive
2 oignons hachés
2 gousses d'ail écrasées
10 ml (2 c. à thé) de cumin moulu
1,5 ml (1/4 c. à thé) de poivre de Cayenne
15 ml (1 c. à soupe) de paprika
15 ml (1 c. à soupe) de concentré de
    tomates
2,5 ml (1/2 c. à thé) d'origan séché
2 boîtes de 400 g (14 oz)
    de haricots rouges
1 boîte de 400 g (14 oz)
    de tomates en dés
900 ml (3 3/4 tasses) d'eau
Sel et poivre noir du moulin
Sauce piquante (Tabasco) au service

GUACAMOLE
2 avocats
1 petit oignon rouge haché fin
1 piment vert évidé et haché
15 ml (1 c. à soupe) de coriandre fraîche
Jus de 1 lime

1. Faire chauffer l'huile dans une casserole, puis ajouter l'oignon et l'ail. Faire cuire de 4 à 5 minutes pour ramollir. Ajouter le cumin, le poivre de Cayenne et le paprika, puis cuire 1 minute.

2. Incorporer le concentré de tomates en remuant et cuire encore quelques secondes, puis ajouter l'origan. Égoutter et rincer les haricots rouges et déposer dans la casserole avec les tomates hachées et l'eau. Porter à faible ébullition et laisser mijoter de 15 à 20 minutes.

3. Refroidir la soupe légèrement, puis la mettre en purée lisse dans un robot culinaire ou un mélangeur. Remettre dans la casserole et assaisonner.

4. Pour préparer la « salsa », séparer les avocats en deux, retirer le noyau et couper la chair en petits dés. Dans un petit plat, mélanger délicatement, mais complètement, avec l'oignon rouge haché fin, le piment, la coriandre et le jus de lime.

5. Réchauffer la soupe et la déposer dans des plats à la louche. Placer une cuillerée de guacamole au centre et servir. Offrir de la sauce piquante (Tabasco) au service.

Information nutritionnelle par portion : énergie 244 kcal ou 1 023 kJ ; protéines 10,5 g ; glucides 27,5 g (sucre = 7,4 g) ; gras 11 g (saturés = 2 g) ; cholestérol 0 mg ; calcium 108 mg ; fibres 10 g ; sodium 535 mg.

Potage de haricots de Lima, de tomates séchées et de pistou

Ce potage de haricots est facile et rapide à préparer. Une bonne quantité de tomates séchées en purée et de pistou lui confère sa riche saveur de « minestrone ».

4 PORTIONS

2 boîtes de 400 g (14 oz) de haricots
de Lima

900 ml (3 3/4 tasses) de fond
de volaille ou de bouillon de légumes

60 ml (4 c. à soupe) de tomates
séchées en purée

75 ml (5 c. à soupe) de pistou

1. Égoutter et rincer les haricots de Lima, puis les déposer dans une grande casserole avec le fond ou le bouillon et porter à faible ébullition.

2. Réduire le feu et incorporer la purée de tomates séchées et le pistou. Couvrir et laisser mijoter doucement 5 minutes.

3. Mettre six grosses louches de soupe, avec une bonne quantité de haricots, dans un robot culinaire ou un mélangeur. Mettre en purée, puis remettre dans la casserole.

4. Faire chauffer doucement, en remuant souvent, pendant 5 minutes. Rectifier l'assaisonnement au besoin. Déposer à la louche dans 4 plats chauds.

Information nutritionnelle par portion : énergie 264 kcal ou 1 109 kJ ; protéines 14,8 g ; glucides 27,4 g
(sucre = 3,6 g) ; gras 11,3 g (saturés = 2,7 g) ; cholestérol 6 mg ; calcium 109 mg ; fibres 9,5 g ; sodium 932 mg.

Potage épicé de lentilles rouges garni d'oignon +++

Cette soupe aux lentilles légère a un parfum de tomates subtilement épicées.
La garniture joue un rôle important et peut être servie à part.

6 PORTIONS

30 à 45 ml (2 à 3 c. à soupe)
   d'huile d'olive

1 gros oignon haché fin

2 gousses d'ail hachées fin

1 piment rouge frais évidé et haché

5 à 10 ml (1 à 2 c. à thé) de graines
   de cumin fraîches

5 à 10 ml (1 à 2 c. à thé) de graines
   de coriandre fraîches

1 carotte hachée fin

À peine 5 ml (1 c. à thé) de fenugrec

5 ml (1 c. à thé) de sucre

15 ml (1 c. à soupe) de concentré
   de tomates

250 g (1 tasse) de lentilles rouges cassées

1,75 l (7 1/2 tasses) de fond de volaille

Sel et poivre noir du moulin

GARNITURE

1 petit oignon rouge haché fin

15 ml (1 c. à soupe) de persil frais ciselé

4 à 6 quartiers de citron

1. Faire chauffer l'huile dans une casserole à fond épais et y déposer l'oignon, l'ail, le piment et les graines de cumin et de coriandre. Ajouter les carottes lorsque l'oignon commence à dorer et faire cuire de 2 à 3 minutes. Incorporer le fenugrec, le sucre et le concentré de tomates, puis les lentilles.

2. Verser le fond de volaille. Bien mélanger et porter à ébullition. Réduire le feu et couvrir partiellement. Laisser mijoter de 30 à 40 minutes jusqu'à ce que les lentilles aient éclaté.

3. Si la soupe est trop épaisse, ajouter un peu d'eau pour diluer jusqu'à la consistance désirée. Assaisonner de sel et de poivre au goût.

4. Servir la soupe telle quelle ou, si vous préférez une texture plus lisse, la laisser refroidir, puis la passer au robot culinaire ou au mélangeur. Réchauffer de nouveau. Verser à la louche dans des plats et garnir d'une bonne quantité d'oignon haché et de persil. Servir avec un quartier de citron.

Information nutritionnelle par portion : énergie 203 kcal ou 856 kJ ; protéines 11,1 g ; glucides 31,8 g (sucre = 7,3 g) ; gras 4,4 g (saturés = 0,6 g) ; cholestérol 0 mg ; calcium 45 mg ; fibres 3,5 g ; sodium 26 mg.

Potage aux haricots cannellini avec « cavolo nero »

Le « cavolo nero » est un type de chou fourrager vert très foncé, qui pousse en Italie.
Il est idéal dans la confection de cette soupe traditionnelle.

4 PORTIONS

2 boîtes de 400 g (14 oz) de tomates
 en dés avec herbes italiennes
250 g (9 oz) de « cavolo nero »
 ou de chou de Savoie (de Milan)
1 boîte de 400 g (14 oz) de haricots
 cannellini, égouttés et rincés
60 ml (4 c. à soupe) d'huile d'olive
 extra-vierge
Sel et poivre noir du moulin

1. Déposer les tomates dans une grande casserole et ajouter 1 boîte d'eau froide. Assaisonner de sel et de poivre, et porter à ébullition. Réduire le feu et laisser mijoter.

2. Déchiqueter grossièrement les feuilles de chou et les ajouter à la soupe. Couvrir partiellement et laisser mijoter doucement pendant 15 minutes ou jusqu'à ce que le chou ait ramolli.

3. Ajouter les haricots et laisser réchauffer quelques minutes. Rectifier l'assaisonnement au besoin, puis verser la soupe à la louche dans des plats. Asperger chaque plat de quelques gouttes d'huile d'olive et servir.

Information nutritionnelle par portion : énergie 227 kcal ou 950 kJ ; protéines 8,2 g ; glucides 22,3 g (sucre = 10,4 g) ; gras 12,2 g (saturés = 1,9 g) ; cholestérol 0 mg ; calcium 60 mg ; fibres 7,9 g ; sodium 443 mg.

Potage aux féveroles de type minestrone *r+tt*

La soupe minestrone classique est réconfortante les jours d'hiver, mais adopte un ton plus estival dans ce potage léger. Vous pouvez substituer des pâtes de toutes formes aux spaghettinis si vous le désirez.

6 PORTIONS

30 ml (2 c. à soupe) d'huile d'olive

2 oignons pelés et hachés fin

2 gousses d'ail pelées et hachées fin

2 carottes hachées très fin

1 côte de céleri hachée très fin *bouillon*

1,27 l (5 2/3 tasses) d'eau bouillante *poulet*

450 g (1 lb) de féveroles fraîches *Boeuf*
    écossées (haricots fava)

225 g (8 oz) de pois mange-tout, coupés
    en fines lanières

8 tomates pelées et coupées en dés

5 ml (1 c. à thé) de concentré de tomates *harissa*

50 g (2 oz) de spaghettinis cassés en
    sections de 4 cm (1 1/2 po) *nouilles pour soupe*

225 g (8 oz) de jeunes pousses d'épinards

30 ml (2 c. à soupe) de persil frais ciselé

1 poignée de feuilles de basilic

Sel et poivre noir du moulin

Tiges de basilic pour garnir

Parmesan fraîchement râpé, au service

1. Faire chauffer l'huile dans une casserole et ajouter les oignons et l'ail. Faire cuire à feu doux de 4 à 5 minutes, pour ramollir sans dorer. Ajouter les carottes et le céleri. Puis cuire de 2 à 3 minutes. Verser l'eau bouillante et laisser mijoter 15 minutes ou jusqu'à ce que les légumes soient tendres.

2. Faire cuire les féveroles (haricots) dans de l'eau salée bouillante de 4 à 5 minutes. Retirer à l'aide d'une cuillère à rainure. Égoutter, rafraîchir sous l'eau froide et réserver.

3. Porter la casserole d'eau à ébullition. Y incorporer les pois mange-tout et laisser cuire 1 minute pour attendrir.

4. Ajouter les tomates et le concentré de tomates à la soupe. Faire cuire 1 minute, puis mettre deux ou trois grosses louches de soupe et le quart des féveroles en purée lisse dans un robot culinaire ou un mélangeur. Réserver.

5. Ajouter les pâtes au reste de la soupe et faire cuire de 6 à 8 minutes jusqu'à ce qu'elles soient tendres. Incorporer et mélanger la soupe mise en purée et les épinards, et faire cuire de 2 à 3 minutes. Ajouter le reste des féveroles, des pois mange-tout et du persil. Bien assaisonner. Au moment de servir, ajouter les feuilles de basilic à la soupe, la verser dans des tasses profondes et la garnir d'une tige de basilic. Saupoudrer d'un peu de parmesan râpé.

Information nutritionnelle par portion : énergie 162 kcal ou 682 kJ ; protéines 9,9 g ; glucides 20,8 g (sucre = 6,5 g) ; gras 4,9 g (saturés = 0,7 g) ; cholestérol 0 mg ; calcium 137 mg ; fibres 7,9 g ; sodium 72 mg.

Soupe aux haricots et au pesto +++

Cette soupe végétarienne consistante est typique de la Provence, en France.
Les haricots absorbent le riche parfum d'un pesto maison fait de basilic frais et d'ail.

150 g (1 tasse rase) de haricots ronds
blancs secs, trempés toute la nuit
150 g (1 tasse rase) de flageolets secs
ou de cannellini, trempés toute la nuit
1 oignon haché
1,2 l (5 tasses) de bouillon de légumes
chaud
2 carottes coupées en gros morceaux
225 g (8 oz) de chou de Savoie (de Milan)
en fines lanières
1 grosse pomme de terre d'environ
225 g (8 oz), coupée en dés
225 g (8 oz) de haricots verts, coupés
Sel et poivre noir du moulin
Feuilles de basilic pour garnir

PESTO
4 gousses d'ail
8 tiges feuillues de basilic
60 ml (4 c. à soupe) de parmesan
frais râpé

1. Faire chauffer le four à 200 °C (400 °F). Égoutter les haricots et les déposer dans un faitout allant au four. Ajouter l'oignon et verser de l'eau froide jusqu'à 5 cm (2 po) au-dessus des haricots. Couvrir le faitout et cuire au four environ 1 heure 30 minutes.

2. Égoutter les haricots et les oignons. Mettre la moitié de ces derniers dans un robot culinaire ou un mélangeur et travailler afin d'obtenir une pâte. Remettre les haricots et la pâte dans le faitout.

3. Ajouter le bouillon, les carottes, le chou, la pomme de terre et les haricots verts. Assaisonner, couvrir et remettre au four. Réduire la température du four à 180 °C (350 °F) et cuire pendant 1 heure.

4. Entre-temps, déposer l'ail et le basilic dans un mortier, puis écraser à l'aide d'un pilon. Ajouter l'huile graduellement en battant. Incorporer le fromage parmesan. Mettre la moitié du pesto à la soupe, puis déposer la soupe à la louche dans des plats réchauffés au préalable. Garnir chacun d'eux d'une cuillère comble du pesto restant et d'une feuille de basilic.

Information nutritionnelle par portion : énergie 286 kcal ou 1 214 kJ ; protéines 19,8 g ; glucides 50,9 g (sucre = 11,1 g) ; gras 1,8 g (saturés = 0,3 g) ; cholestérol 0 mg ; calcium 142 mg ; fibres 16,1 g ; sodium 36 mg.

Potage de lentilles +++

Cette soupe juive classique est souvent appelée « soupe d'Esaü ». On fait cuire, puis on met en purée des lentilles rouges et des légumes. La saveur du potage est grandement rehaussée d'une bonne quantité de jus de citron.

4 PORTIONS

45 ml (3 c. à soupe) d'huile d'olive

1 oignon haché

2 côtes de céleri hachées

1 à 2 carottes, en tranches

8 gousses d'ail écrasées

1 pomme de terre pelée et coupée en dés

250 g (1 tasse comble) de lentilles rouges nettoyées et rincées

1 l (4 tasses) de bouillon de légumes

2 feuilles de laurier

1 à 2 citrons coupés en deux

2,5 ml (1/2 c. à thé) de cumin moulu, ou au goût

Poivre de Cayenne ou sauce piquante (Tabasco), au goût

Sel et poivre noir du moulin

Tranches de citron et une feuille de persil italien ciselée au service

1. Déposer l'huile dans une grande casserole. Ajouter l'oignon et le faire cuire environ 5 minutes pour l'attendrir. Incorporer en remuant le céleri, les carottes, la moitié de l'ail et toute la pomme de terre. Faire cuire quelques minutes pour que les légumes commencent à ramollir.

2. Mettre les lentilles et le bouillon dans la casserole, puis porter à ébullition. Réduire le feu et laisser mijoter doucement encore 30 minutes jusqu'à ce que les pommes de terre et les lentilles aient ramolli.

3. Ajouter les feuilles de laurier, le reste de l'ail et la moitié des citrons à la casserole et faire cuire la soupe encore 10 minutes. Retirer les feuilles de laurier. Presser le jus de citron restant, puis ajouter au potage, au goût.

4. Mettre le potage en purée lisse en plusieurs étapes dans un robot culinaire ou un mélangeur. Remettre dans la casserole en y mélangeant le cumin, le poivre de Cayenne ou la sauce piquante (Tabasco). Assaisonner de sel et de poivre.

5. Verser la soupe à la louche dans des plats. Garnir le dessus d'un morceau de citron et de persil.

Information nutritionnelle par portion : énergie 330 kcal ou 1 391 kJ ; protéines 16,3 g ; glucides 48,1 g ; (sucre = 4,7 g) ; gras 9,4 g (saturés = 1,4 g) ; cholestérol 0 mg ; calcium 50 mg ; fibres 4,5 g ; sodium 44 mg.

Soupe épicée nord-africaine ┬ ┼ ┴

Connue traditionnellement sous le nom de « Harira », cette soupe est souvent servie le soir durant le ramadan, fête religieuse musulmane, alors que les adeptes de l'islam pratiquent le jeûne toute la journée pendant un mois.

6 PORTIONS

1 gros oignon haché

1,2 l (5 tasses) de bouillon de légumes

5 ml (1 c. à thé) de cannelle moulue

5 ml (1 c. à thé) de curcuma

15 ml (1 c. à soupe) de gingembre râpé

1 pincée de poivre de Cayenne

2 carottes coupées en dés

2 côtes de céleri coupées en dés

1 boîte de 400 g (14 oz) de tomates en dés

450 g (1 lb) de pommes de terre
farineuse, en dés

5 pistils de safran ✓

1 boîte de 400 g (14 oz) de pois chiches
égouttés

30 ml (2 c. à soupe) de coriandre fraîche
ciselée

15 ml (1 c. à soupe) de jus de citron

Sel et poivre noir du moulin

Quartiers de citron frits au service

1. Déposer l'oignon haché dans une grande casserole avec 300 ml (1 1/4 tasse) de bouillon de légumes. Porter à ébullition, puis laisser mijoter environ 10 minutes.

2. Entre-temps, mélanger ensemble la cannelle, le curcuma, le gingembre, le poivre de Cayenne et 30 ml (2 c. à soupe) du bouillon afin de former une pâte. Incorporer dans la casserole contenant l'oignon ainsi que les carottes, le céleri et le reste du bouillon.

3. Porter le tout à ébullition, réduire le feu, couvrir et laisser mijoter pendant 5 minutes.

4. Ajouter les tomates et les pommes de terre et laisser mijoter doucement, couvert, pendant 20 minutes.

5. Ajouter le safran, les pois chiches, la coriandre et le jus de citron. Assaisonner et servir la soupe fumante garnie de quartiers de citron frits.

Information nutritionnelle par portion : énergie 158 kcal ou 668 kJ ; protéines 7,2 g ; glucides 28,4 g (sucre = 7 g) ; gras 2,5 g (saturés = 0,4 g) ; cholestérol 0 mg ; calcium 64 mg ; fibres 5,4 g ; sodium 173 mg.

Potage aux lentilles rouges avec oignon

De l'échalote croquante et une crème persillée garnissent ce potage riche et aromatique.
Cette soupe tire son inspiration des pois cajan populaires dans la cuisine indienne.
Des morceaux de bacon fumé lui donnent sa texture.

6 PORTIONS

5 ml (1 c. à thé) de graines de cumin

2,5 ml (1/2 c. à thé) de graines de coriandre

5 ml (1 c. à thé) de curcuma moulu

30 ml (2 c. à soupe) d'huile d'olive

1 oignon haché

2 gousses d'ail hachées

(1 morceau de bacon (jarret) fumé *Prosciutto*

1,2 l (5 tasses) de bouillon de légumes

275 g (1 1/4 tasse) de lentilles rouges

1 boîte de 400 g (14 oz) de tomates en dés

15 ml (1 c. à soupe) d'huile végétale

3 échalotes tranchées mince

CRÈME PERSILLÉE

45 ml (3 c. à soupe) de persil frais ciselé

150 ml (2/3 tasse) de yaourt grec (nature et filtré)

Sel et poivre noir du moulin

1. Faire chauffer un poêlon et y déposer les graines de cumin et de coriandre. Faire cuire à feu élevé pendant quelques secondes jusqu'à ce qu'elles commencent à dégager leur parfum. Transférer dans un mortier et écraser à l'aide d'un pilon. Ajouter le curcuma et mélanger, puis réserver.

2. Faire chauffer l'huile dans une grande casserole. Ajouter l'oignon et l'ail, et faire cuire de 4 à 5 minutes pour l'attendrir. Incorporer la préparation d'épices et laisser cuire 2 minutes en remuant constamment.

3. Déposer le morceau de bacon dans la casserole et y verser le bouillon. Porter à ébullition, couvrir et laisser mijoter pendant 30 minutes. Ajouter les lentilles et poursuivre la cuisson 20 minutes ou jusqu'à ce que ces ingrédients soient presque cuits. Incorporer les tomates et cuire encore 5 minutes.

4. Retirer le morceau de bacon de la soupe et le laisser refroidir afin de pouvoir le manipuler. Laisser la soupe refroidir légèrement, puis la mettre en purée lisse dans un robot culinaire ou un mélangeur. Remettre dans la casserole rincée. Séparer la viande de l'os. Jeter le gras et la peau. Mettre la viande dans la soupe et réchauffer.

5. Faire chauffer l'huile dans un poêlon et y faire frire l'échalote jusqu'à ce qu'elle soit croustillante et dorée, pendant 10 minutes. Retirer et égoutter sur un essuie-tout. Incorporer le persil ciselé dans le yaourt et bien assaisonner. Déposer la soupe à la louche dans des plats et garnir d'une cuillerée comble de crème persillée. Garnir aussi de quelques morceaux d'échalotes, puis servir.

Information nutritionnelle par portion : énergie 235 kcal ou 991 kJ ; protéines 13 g ; glucides 28,4 g (sucre = 3,7 g) ; gras 8,8 g (saturés = 2,2 g) ; cholestérol 0 mg ; calcium 66 mg ; fibres 2,9 g ; sodium 40 mg

Potage de pâtes avec boulettes de viande et basilic

Ce potage de pâtes rustique doit son onctuosité à la purée de haricots cannellini. De petites boulettes de viande maison parfumées à l'ail et à l'orange contribuent à rendre ce classique italien des plus rassasiant.

4 PORTIONS

1 boîte de 400 g (14 oz) de haricots cannellini

1 l (4 tasses) de bouillon de légumes

45 ml (3 c. à soupe) d'huile d'olive

1 oignon haché fin

2 gousses d'ail écrasées

1 petit piment rouge, évidé et haché

2 côtes de céleri hachées fin

1 carotte hachée fin

15 ml (1 c. à soupe) de concentré de tomates

300 g (11 oz) de petites pâtes

1 grosse poignée de basilic frais déchiqueté

Sel et poivre noir du moulin

Feuilles de basilic pour garnir

Fromage parmesan râpé au service

BOULETTES DE VIANDE

1 grosse tranche de pain blanc (sans les croûtes) en petites bouchées

60 ml (4 c. à soupe) de lait

350 g (12 oz) de bœuf ou de veau haché

30 ml (2 c. à soupe) de persil frais ciselé

Zeste de 1 orange

2 gousses d'ail écrasées

1 œuf battu

30 ml (2 c. à soupe) d'huile d'olive

1. Pour préparer les boulettes de viande, déposer le pain avec le lait dans un plat et tremper 10 minutes. Ajouter la viande, le persil, le zeste d'orange et l'ail, puis assaisonner. Bien mélanger et ajouter suffisamment d'œuf pour lier. Former de petites boules de la grosseur d'une olive géante. Faire chauffer l'huile dans un poêlon et frire les boulettes par étapes de 6 à 8 minutes, pour les faire dorer. Retirer du poêlon et réserver.

2. Mettre les cannellini rincés et égouttés en purée lisse avec un peu de bouillon dans un robot culinaire ou un mélangeur. Réserver.

3. Faire chauffer l'huile d'olive dans une grande casserole. Ajouter l'oignon, l'ail, le piment, le céleri et la carotte. Couvrir et cuire doucement de 4 à 5 minutes. Incorporer alors le concentré de tomates, la purée de haricots et le reste du bouillon. Porter à ébullition, puis faire cuire environ 10 minutes.

4. Ajouter les petites pâtes et laisser mijoter de 8 à 10 minutes jusqu'à ce que les pâtes soient presque cuites. Ajouter les boulettes de viande et le basilic. Cuire encore 5 minutes. Assaisonner et garnir de basilic et de fromage parmesan râpé.

Information nutritionnelle par portion : énergie 718 kcal ou 3 014 kJ ; protéines 35 g ; glucides 80,9 g (sucre = 10 g) ; gras 30,5 g (saturés = 8,5 g) ; cholestérol 53 mg ; calcium 152 mg ; fibres 9,7 g ; sodium 529 mg.

Soupe de doliques à œil noir avec bouillon à la tomate

Cette soupe savoureuse appelée « Lubiya » en Israël est parfumée de citron acide et saupoudrée de coriandre fraîchement ciselée. C'est la soupe idéale à servir lors de fêtes ou d'occasions spéciales. Et vous pouvez multiplier les quantités.

4 PORTIONS

175 g (1 tasse) de doliques à œil noir

15 ml (1 c. à soupe) d'huile d'olive

2 oignons hachés

4 gousses d'ail hachées

1 piment mi-fort ou 2 à 3 piments doux, frais, hachés

5 ml (1 c. à thé) de cumin moulu

5 ml (1 c. à thé) de curcuma moulu

250 g (9 oz) de tomates fraîches ou en boîte, en dés

600 ml (2 1/2 tasses) de fond de volaille ou de bœuf, ou de bouillon de légumes

25 g (1 oz) de coriandre fraîche grossièrement hachée

Jus de 1/2 citron

Pains pitas au service

1. Déposer les doliques dans une casserole et couvrir d'eau froide. Porter à ébullition et faire cuire 5 minutes.

2. Retirer du feu, couvrir et laisser reposer 2 heures.

3. Égoutter les doliques, puis les remettre dans la casserole. Couvrir d'eau froide fraîche, puis faire mijoter de 30 à 40 minutes ou jusqu'à ce que les haricots soient cuits. Égoutter et réserver.

4. Faire chauffer l'huile dans un poêlon. Ajouter l'oignon, l'ail et le piment. Faire cuire 5 minutes afin d'attendrir l'oignon.

5. Incorporer le cumin, le curcuma, les tomates, le fond ou le bouillon, la moitié de la coriandre et les doliques. Faire mijoter de 20 à 30 minutes.

6. Ajouter le jus de citron et le reste de la coriandre. Servir immédiatement avec un morceau de pain pita.

Information nutritionnelle par portion : énergie 168 kcal ou 712 kJ ; protéines 10,7 g ; glucides 25 g (sucre = 2,3 g) ; gras 3,6 g (saturés = 0,6 g) ; cholestérol 0 mg ; calcium 52 mg ; fibres 4,1 g ; sodium 10 mg.

Soupe poulet et nouilles à l'ancienne +++

Cette soupe est un véritable classique : claire, dorée et réconfortante, elle regorge de petites nouilles légèrement cuites. Elle fait du bien à coup sûr à quiconque souffre d'un rhume.

DE 4 À 6 PORTIONS

1 poulet à bouillir de 2 kg (4 1/2 lb) avec les abats, sauf le foie

1 gros oignon pelé et coupé en deux

2 grosses carottes séparées en deux sur la longueur

6 côtes de céleri hachées en gros morceaux

1 feuille de laurier

175 g (6 oz) de vermicelle

45 ml (3 c. à soupe) de persil frais haché ou de feuilles de persil entières

Sel et poivre noir du moulin

1. Déposer le poulet dans une casserole avec les légumes et la feuille de laurier. Couvrir de 2,4 l (10 tasses) d'eau froide. Porter lentement à ébullition et retirer l'écume qui se forme à la surface. Ajouter 5 ml (1 c. à thé) de sel et un peu de poivre noir du moulin.

2. Réduire le feu et laisser mijoter au moins 2 heures ou jusqu'à ce que le poulet soit tendre. Éviter de faire bouillir, car la soupe deviendrait opaque.

3. Retirer le poulet de son bouillon lorsqu'il est cuit et séparer la viande de la carcasse. (Utiliser la viande pour un bon sandwich ou dans un risotto au poulet.) Remettre les os dans la casserole et laisser mijoter encore 1 heure.

4. Passer la soupe au tamis, la ranger dans un plat, laisser refroidir et réfrigérer toute la nuit. La soupe formera une gelée recouverte d'une couche de gras de poulet solide. Retirer le gras.

5. Réchauffer la soupe dans une grande casserole. Ajouter le vermicelle et le persil. Mijoter de 6 à 8 minutes jusqu'à ce que les nouilles soient cuites. Assaisonner au goût.

Information nutritionnelle par portion : énergie 176 kcal ou 748 kJ ; protéines 6,3 g ; glucides 37,5 g (sucre = 5,7 g) ; gras 1,2 g (saturés = 0,1 g) ; cholestérol 0 mg ; calcium 66 mg ; fibres 3,4 g ; sodium 39 mg.

Soupe au crabe avec « relish » à la coriandre

La chair de crabe, pratique et de bonne qualité, se trouve presque partout, ce qui est parfait pour préparer une soupe aux fruits de mer et aux nouilles exotique en quelques minutes.

4 PORTIONS

45 ml (3 c. à soupe) d'huile d'olive

1 oignon rouge haché fin

2 piments rouges évidés et hachés fin

1 gousse d'ail hachée fin

450 g (1 lb) de chair de crabe fraîche

30 ml (2 c. à soupe) de chacun : persil frais ciselé et coriandre

jus de 2 citrons

1 tige de citronnelle

1 l (4 tasses) de fond de poisson ou de volaille de bonne qualité

15 ml (1 c. à soupe) de sauce de poisson thaïlandaise (nam pla)

150 g (5 oz) de pâtes fines (vermicelle, cheveux d'ange), cassées en sections de 5 à 7,5 cm (2 à 3 po)

Sel et poivre noir du moulin

« RELISH » À LA CORIANDRE

2,5 ml (1/2 c. à thé) de graines de cumin rôties

50 g (1 tasse) de feuilles de coriandre

1 piment vert évidé et haché

15 ml (1 c. à soupe) d'huile de tournesol

25 ml (1 1/2 c. à soupe) de jus de citron

1. Faire chauffer l'huile dans un poêlon et y ajouter l'oignon, les piments et l'ail. Cuire à feu doux pendant 10 minutes pour faire ramollir l'oignon. Transférer dans un plat avec le crabe, le persil, la coriandre et le jus de citron. Réserver.

2. Placer la tige de citronnelle sur une planche à découper et l'écraser à l'aide d'un rouleau à pâtisserie ou d'un pilon. Verser le fond et la sauce de poisson dans une casserole. Y déposer la tige de citronnelle, puis porter à ébullition. Ajouter ensuite les pâtes. Laisser mijoter, sans couvercle, de 3 à 4 minutes.

3. Entre-temps, préparer la « relish ». À l'aide d'un mortier et d'un pilon, faire une pâte épaisse avec le cumin, la coriandre fraîche, le piment, l'huile et le jus de citron.

4. Retirer la citronnelle de la soupe et la jeter. Ajouter le piment et le crabe à la soupe et bien assaisonner. Porter à ébullition, puis réduire le feu et laisser mijoter 2 minutes.

5. Déposer la soupe à la louche dans des plats et garnir d'une cuillerée de « relish » à la coriandre. Servir immédiatement.

Information nutritionnelle par portion : énergie 425 kcal ou 1 773 kJ ; protéines 26,7 g ; glucides 50,7 g (sucre = 1,4 g) ; gras 12,6 g (saturés = 1,6 g) ; cholestérol 81 mg ; calcium 198 mg ; fibres 1,3 g ; sodium 632 mg.

« Laksa » malais aux crevettes +++

Cette délicieuse soupe aux crevettes et aux nouilles est tout aussi savoureuse si on remplace les crevettes par du poisson en flocons. Procurez-vous de la pâte « laksa » du commerce si vous manquez de temps.

DE 2 À 3 PORTIONS

115 g (4 oz) de vermicelle de riz

15 ml (1 c. à soupe) d'huile végétale

600 ml (2 1/2 tasses) de fond de poisson

400 ml (1 2/3 tasse) de lait de noix de coco

30 ml (2 c. à soupe) de sauce de poisson thaïlandaise (nam pla)

1/2 lime

16 à 24 crevettes décortiquées

1 pincée de sel et de poivre de Cayenne, au goût

60 ml (4 c. à soupe) de brins de coriandre fraîche avec feuilles, pour garnir

PÂTE ÉPICÉE

2 tiges de citronnelle hachées fin

2 piments rouges frais, évidés et hachés

Morceau de 2,5 cm (1 po) de gingembre, pelé et tranché

2,5 ml (1/2 c. à thé) de pâte de crevettes

2 gousses d'ail hachées

2,5 ml (1/2 c. à thé) de curcuma moulu

30 ml (2 c. à soupe) de pâte de tamarin

1. Faire cuire le vermicelle de riz dans une grande casserole d'eau bouillante salée, de 3 à 4 minutes ou selon les directives de l'emballage. Égoutter les pâtes dans une passoire, rincer à l'eau froide, puis égoutter de nouveau. Réserver.

2. Pour faire la pâte épicée, déposer tous les ingrédients dans un mortier et écraser au pilon. Ou encore, déposer le tout dans un robot culinaire ou un mélangeur par étapes et travailler jusqu'à la formation d'une pâte lisse.

3. Faire chauffer l'huile végétale dans une grande casserole. Y ajouter la pâte épicée et la faire frire en remuant constamment jusqu'à ce que le parfum s'en dégage. Attention de ne pas la faire brûler.

4. Verser le fond de poisson et le lait de noix de coco dans la casserole, et porter ébullition. Incorporer la sauce de poisson et laisser mijoter pendant 5 minutes. Assaisonner de sel et de poivre de Cayenne au goût et asperger quelques gouttes de jus de lime. Ajouter les crevettes et laisser réchauffer entièrement pendant quelques secondes.

5. Répartir le vermicelle dans 2 ou 3 plats. Verser la soupe sur les pâtes. Garnir de coriandre fraîche et servir la soupe fumante.

Information nutritionnelle par portion : énergie 436 kcal ou 1 830 kJ ; protéines 36,9 g ; glucides 55,3 g (sucre = 10,2 g) ; gras 7,6 g (saturés = 1,2 g) ; cholestérol 341 mg ; calcium 239 mg ; fibres 0,8 g ; sodium 562 mg.

Soupe thaïlandaise avec nouilles cellophane

Les nouilles thaïlandaises utilisées dans cette recette portent divers noms : vermicelles de soja, nouilles cellophane ou nouilles de verre. Elles sont faites de farine d'ambérique (haricot velu) et sont surtout appréciées pour leur texture friable.

4 PORTIONS

4 gros champignons shiitakes séchés

15 g (1/2 oz) de bourgeons de lys séchés

1/2 concombre haché en gtos morceaux

2 gousses d'ail coupées en deux

90 g (3 1/2 oz) de chou coupé en lanières

1,2 l (5 tasses) d'eau bouillante

115 g (4 oz) de nouilles cellophane

30 ml (2 c. à soupe) de sauce de soja

15 ml (1 c. à soupe) de sucre de palme ou de sucre « muscovado » (sucre roux de canne)

90 g (3 1/2 oz) de tofu soyeux, en dés

Coriandre fraîche pour garnir

1. Faire tremper les champignons séchés et les bourgeons de lys dans deux plats séparés remplis d'eau chaude pendant 30 minutes.

2. Entre-temps, déposer le concombre haché, l'ail et le chou dans le robot culinaire ou le mélangeur et travailler jusqu'à l'obtention d'une pâte lisse. Transférer la pâte dans une grande casserole et y verser l'eau bouillante.

3. Porter à ébullition, puis réduire le feu et laisser cuire 2 minutes, en remuant de temps à autre. Égoutter ce bouillon chaud dans une autre casserole et remettre sur un feu doux jusqu'à ce que le tout mijote doucement.

4. Égoutter les bourgeons de lys, les rincer à l'eau froide, puis les égoutter de nouveau. Couper les parties dures, puis ajouter les bourgeons comestibles au bouillon avec les nouilles, la sauce de soja et le sucre. Cuire encore 5 minutes.

5. Égoutter les champignons et verser le liquide dans la soupe. Jeter les tiges, puis couper les champignons en morceaux. Les répartir entre quatre plats avec le tofu. Verser la soupe dessus et garnir de feuilles de coriandre fraîche. Servir.

Information nutritionnelle par portion : énergie 143 kcal ou 598 kJ ; protéines 4,9 g ; glucides 28,3 g (sucre = 5,6 g) ; gras 1,1 g (saturés = 0,1 g) ; cholestérol 0 mg ; calcium 137 mg ; fibres 0,6 g ; sodium 362 mg.

Soupe poulet et nouilles thaïlandaise avec beignets de crabe

Cette soupe est un repas complet en soi. Recherchez une épicerie qui vend la coriandre fraîche avec ses racines, car ces dernières confèrent beaucoup de saveur au bouillon.

6 PORTIONS

8 gousses d'ail

1 botte de coriandre avec ses racines

1 poulet de 1,2 à 1,4 kg (2 1/2 à 3 lb)

2 badianes (ou anis étoilés)

2 carottes en morceaux

2 côtes de céleri en morceaux

1 oignon haché

30 ml (2 c. à soupe) de sauce de soja

150 g (5 oz) de nouilles aux œufs

30 ml (2 c. à soupe) d'huile végétale

60 ml (4 c. à soupe) de sauce de poisson thaïlandaise (nam pla)

1,5 ml (1/4 c. à thé) d'assaisonnement au chili

150 g (1 1/2 tasse) de germes de soja

2 échalotes tranchées

Coriandre fraîche

Brins de fines herbes pour garnir

Sel et poivre noir du moulin

BEIGNETS DE CRABE

5 ml (1 c. à thé) de pâte de cari rouge thaïlandais

5 ml (1 c. à thé) de fécule de maïs

5 ml (1 c. à thé) de sauce de poisson thaïlandaise (nam pla)

1 petit jaune d'œuf

15 ml (1 c. à soupe) de coriandre fraîche ciselée

175 g (6 oz) de chair de crabe, blanche

50 g (1 tasse) de chapelure blanche fraîche

30 ml (2 c. à soupe) d'huile végétale

1. Écraser 4 des gousses d'ail et trancher finement le reste. Réserver. Couper les racines de la coriandre et les déposer dans une grande casserole avec l'ail. Détacher les feuilles de coriandre de leurs tiges.

2. Déposer le poulet dans la casserole, ainsi que les badianes (anis étoilés), les carottes, le céleri, l'oignon et la sauce de soja. Recouvrir le poulet d'eau. Porter à ébullition, réduire le feu, couvrir et laisser mijoter 1 heure.

3. Pour les beignets de crabe, combiner la pâte de cari, la fécule de maïs, la sauce de poisson et le jaune d'œuf. Y ajouter la coriandre, la chair de crabe, la chapelure, puis assaisonner. Diviser la préparation en 12 partiess et former de petits beignets.

4. Faire cuire les nouilles selon les directives de l'emballage. Égoutter et réserver.

5. Faire chauffer l'huile dans un poêlon et y faire frire l'ail tranché pour le dorer. Égoutter et réserver.

6. Retirer le poulet et laisser refroidir légèrement. (Réserver le fond.) Jeter la peau du poulet et séparer la viande de la carcasse en gros morceaux. Passer le fond au tamis, puis en verser 1,2 l (5 tasses) dans une casserole. Ajouter la sauce de poisson, l'assaisonnement au chili, le sel et le poivre, puis porter à ébullition. Garder chaud.

7. Dans un poêlon contenant de l'huile végétale chaude, faire frire les beignets de crabe de 2 à 3 minutes de chaque côté pour qu'ils soient dorés.

8. Répartir les nouilles, les tranches d'ail, les échalotes et le poulet dans six plats peu profonds. Déposer deux beignets de crabe sur le dessus, puis verser la soupe à la louche par-dessus. Parsemer de coriandre, puis garnir de fines herbes.

Information nutritionnelle par portion : énergie 250 kcal ou 1 049 kJ ; protéines 10,9 g ; glucides 28,8 g (sucre = 3,5 g) ; gras 10,9 g (saturés = 1,8 g) ; cholestérol 62 mg ; calcium 74 mg ; fibres 1,9 g ; sodium 638 mg.

Soupe de nouilles ramen de Tokyo

Les nouilles ramen sont originaires de Chine, mais elles sont très populaires au Japon. On peut se les procurer dans de nombreux kiosques. Chaque comté a sa propre version de soupe aux nouilles. Voici une variante bien connue de Tokyo (Japon).

4 PORTIONS

250 g (9 oz) de nouilles ramen séchées

FOND DE SOUPE
4 échalotes
1 morceau de 7,5 cm (3 po) de gingembre
    coupé en quartiers
Carcasses crues de 2 poulets, bien rincées
1 gros oignon coupé en quatre
4 gousses d'ail pelées
1 grosse carotte en morceaux
1 coquille d'œuf
120 ml (1/2 tasse) de saké
Environ 60 ml (4 c. à soupe) de sauce
    de soja japonaise (shoyu)
2,5 ml (1/2 c. à thé) de sel

CHA-SHU (PORC BRAISÉ)
500 g (1 1/4 lb) d'épaule de porc désossée
30 ml (2 c. à soupe) d'huile végétale
2 échalotes hachées
1 morceau de 2,5 cm (1 po) de gingembre
    frais, pelé et tranché
15 ml (1 c. à soupe) de saké
45 ml (3 c. à soupe) de sauce de soja
    japonaise
15 ml (1 c. à soupe) de sucre ultra-fin

GARNITURES
2 œufs durs
1/2 feuille de nori, déchirée (algue douce)
2 échalotes hachées
Poivre blanc moulu
Huile de sésame ou de chili

1. Pour le fond, frapper les échalotes et le gingembre avec la face plate de la lame d'un gros couteau. Verser 1,5 l (6 1/4 tasses) d'eau dans une casserole ou un wok et porter à ébullition. Ajouter les os de poulet et faire bouillir jusqu'à ce que la chair attachée aux os change de couleur. Jeter l'eau et rincer la carcasse.

2. Laver la casserole ou le wok, puis porter 2 l (9 tasses) d'eau à ébullition. Y mettre les os de poulet et ajouter tous les ingrédients du fond, sauf la sauce de soja et le sel. Réduire à feu doux et laisser mijoter pour réduire de moitié; écumer la surface. Égoutter dans un contenant à travers un tamis tapissé d'une étamine. Prend environ de 1 à 2 heures.

3. Préparer le cha-chu. Rouler la viande en un rouleau serré de 8 cm (3 1/2 po) de diamètre. Attacher avec de la corde de boucher.

4. Laver la casserole ou le wok et le sécher à feu élevé. Faire chauffer l'huile jusqu'à ce qu'elle soit fumante. Ajouter l'échalote et le gingembre. Faire cuire brièvement, puis déposer la viande. Faire dorer également de tous les côtés. Asperger de saké et ajouter 400 ml (1 2/3 tasse) d'eau, la sauce de soja et le sucre. Porter à ébullition, puis réduire le feu et couvrir. Faire cuire de 25 à 30 minutes en remuant toutes les 5 minutes. Retirer du feu.

5. Couper le porc en 12 tranches minces. Conserver tout reste de viande pour une autre recette. Écaler les œufs durs et les couper en deux. Saler les jaunes.

6. Verser 1 l (4 tasses) de fond dans une grande casserole. Porter à ébullition, puis ajouter la sauce de soja et le sel. Rectifier l'assaisonnement et ajouter de la sauce au goût.

7. Laver la casserole ou le wok de nouveau et porter 2 l (9 tasses) d'eau à ébullition. Faire cuire les nouilles ramen en suivant les directives de l'emballage. Remuer constamment afin d'éviter qu'elles collent. Si l'ébullition est trop forte, ajouter 50 ml (1/4 tasse) d'eau froide. Bien égoutter et répartir dans 4 plats.

8. Verser la soupe sur les nouilles pour les couvrir. Placer la moitié d'un œuf dur, les tranches de porc et les feuilles de nori sur la soupe et parsemer d'échalote. Poivrer au service et asperger d'huile de sésame ou de chili. Saler.

Information nutritionnelle par portion : énergie 466 kcal ou 1 947 kJ ; protéines 35,1 g ; glucides 49,9 g (sucre = 0,9 g) ; gras 13,9 g (saturés = 3,2 g) ; cholestérol 175 mg ; calcium 43 mg ; fibres 0,3 g ; sodium 489 mg.

Soupe épicée aux nouilles de soba avec tempura

Cette soupe contient des nouilles de soba japonaises, faites de sarrasin. L'assaisonnement consiste le plus souvent en « shichimi togarashi », ou poudre de sept épices.

4 PORTIONS

400 g (14 oz) de nouilles de soba séchées
1 échalote tranchée
Shichimi togarashi (facultatif)

SOUPE
150 ml (2/3 tasse) de mirin (vin de riz sucré)
150 ml (2/3 tasse) de shoyu (sauce de soja)
900 ml (3 3/4 tasses) d'eau
25 g (1 oz) de kezuri-bushi (flocons de poisson séché) ou 2 sachets de 15 g (1/2 oz)
15 ml (1 c. à soupe) de sucre ultra-fin
5 ml (1 c. à thé) de sel

900 ml (3 3/4 tasses) de fond de dashi (poisson) ou la même quantité d'eau avec 12,5 ml (2 1/2 c. à soupe) de dashi-no-moto (granules de bouillon lyophilisées)

TEMPURA
16 crevettes géantes décortiquées avec la queue
400 ml (1 2/3 tasse) d'eau glacée
1 gros œuf battu (extra-gros aux É.-U.)
200 g (à peine 2 tasses) de farine tout usage
Huile végétale pour la grande friture

1. Pour préparer la soupe, déposer le mirin dans une grande casserole et porter à ébullition. Ajouter le reste des ingrédients de la soupe, sauf le fond de dashi. Porter de nouveau à ébullition, puis réduire le feu à doux. Écumer et laisser cuire 2 minutes. Égoutter la soupe dans une casserole propre et ajouter le fond de dashi.

2. Enlever la veine de chaque crevette, puis faire 5 entailles dans le corps de chacune. Couper le bout de la queue et pincer pour expulser tout liquide.

3. Déposer l'eau dans un plat et y mélanger l'œuf. Tamiser la farine et remuer brièvement. La consistance sera grumeleuse. Faire chauffer l'huile dans une casserole ou un wok ou une friteuse à 180 °C (350 °F). Tenir 2 crevettes par la queue, les tremper dans la préparation tempura, puis les déposer dans l'huile. Les faire frire jusqu'à ce qu'elles soient croquantes et dorées. Égoutter et garder au chaud.

4. Placer les nouilles dans une grande casserole remplie d'au moins 2 l (9 tasses) d'eau bouillante et remuer afin qu'elles ne collent pas. Quand de la mousse se forme, ajouter 50 ml (1/4 tasse) d'eau froide. Répéter au besoin. Les nouilles doivent être plus cuites que le stade « al dente ». Rincer les nouilles dans un tamis.

5. Faire chauffer la soupe. Réchauffer les nouilles dans de l'eau chaude et les répartir dans des plats. Y déposer les crevettes et la soupe. Parsemer d'échalote et de shichimi togarashi au goût. Servir.

Information nutritionnelle par portion : énergie 728 kcal ou 3 053 kJ ; protéines 30,7 g ; glucides 121,8 g (sucre = 5,3 g) ; gras 14 g (saturés = 1,9 g) ; cholestérol 218 mg ; calcium 173 mg ; fibres 1,6 g ; sodium 728 mg.

Soupe au miso aux nouilles udon

Les nouilles udon sont faites de farine blanche et entrent dans la préparation de soupes froides ou chaudes. Les nouilles de ce mets japonais, aussi connu sous le nom de « Miso Nikomi Udon » sont cuites dans une cocotte avec une riche soupe au miso.

4 PORTIONS

200 g (7 oz) de blancs de poulet désossés et dépiautés

10 ml (2 c. à thé) de saké

2 abura-age (tofu frit)

900 ml (3 1/2 tasses) de fond de dashi (poisson) reconstitué ou la même quantité d'eau avec 7,5 ml (1 1/2 c. à thé) de dashi-no-moto

6 gros champignons shiitakes, tiges enlevées et coupés en quatre

4 oignons verts pelés et coupés en sections de 3 mm (1/8 po) de longueur

30 ml (2 c. à soupe) de mirin (vin de riz sucré)

Environ 90 g (3 1/2 oz) de aka miso ou de hatcha miso (pâte de soja fermentée brun foncé)

300 g (11 oz) de nouilles udon séchées (nouilles de blé épaisses)

4 œufs

Shichimi togarashi (facultatif)

1. Couper le poulet en bouchées. Asperger de saké et laisser mariner 15 minutes.

2. Mettre le abura-age dans une passoire et bien rincer à l'eau chaude. Égoutter sur un essuie-tout et couper chaque abura-age en quatre carrés.

3. Pour préparer la soupe, faire chauffer le fond de dashi reconstitué dans une casserole. À ébullition, ajouter le poulet, les champignons shiitakes et le abura-age. Faire cuire 5 minutes. Retirer du feu et ajouter les oignons verts. Déposer le mirin et la pâte de miso dans un plat et y incorporer 30 ml (2 c. à soupe) de fond.

4. Faire cuire les nouilles udon dans une grande casserole remplie de 2 l (9 tasses) d'eau bouillante. L'eau ne doit pas excéder les 2/3 de la casserole. Faire cuire les nouilles 6 minutes, puis égoutter.

5. Répartir les nouilles dans quatre petits plats à l'épreuve du feu. Mélanger la pâte miso à la soupe et goûter. Ajouter plus de miso au goût. Couvrir les nouilles de soupe et garnir des autres ingrédients. Faire chauffer chaque plat à feu moyen et casser un œuf dans chacun. Quand la soupe bout, attendre 2 minutes. Servir avec du shichimi togarashi au goût.

Information nutritionnelle par portion : énergie 431 kcal ou 1 819 kJ ; protéines 28,6 g ; glucides 54,7 g (sucre = 2,2 g) ; gras 12,6 g (saturés = 3,5 g) ; cholestérol 248 mg ; calcium 60 mg ; fibres 2,9 g ; sodium 594 mg.

Soupes de poissons et de crustacés

Les soupes classiques rassasiantes comme la bouillabaisse ou la soupe provençale aux fruits de mer font des déjeuners ou des dîners substantiels. Si vous préférez une soupe plus raffinée pour recevoir vos invités, essayez la soupe au saumon agrémentée de « salsa ». Pour découvrir de nouvelles saveurs, expérimentez avec un bouillon de poisson thaïlandais au merveilleux parfum de citronnelle, de galangal et de feuilles de lime.

Soupe du pêcheur +++

Cette soupe française bien consistante est habituellement préparée avec du poisson d'eau douce, y compris de l'anguille. Tout poisson ferme convient, notamment la lotte et l'aiglefin. Un bon vin corsé rouge ou blanc rehaussera sa saveur.

6 PORTIONS

1 kg (2 1/2 lb) de poissons divers, y compris 450 g (1 lb) d'anguille de mer ou congre si disponible

50 g (1/4 tasse) de beurre

1 oignon tranché en gros morceaux

2 côtes de céleri tranchées en gros morceaux

2 carottes tranchées en gros morceaux

1 bouteille de vin blanc ou de vin rouge

1 bouquet garni frais, contenant du persil, une feuille de laurier et du cerfeuil

2 clous de girofle

6 grains de poivre noir

Beurre manié pour épaissir

Sel et poivre de Cayenne

GARNITURE

25 g (2 c. à soupe) de beurre

12 petits oignons pelés

12 champignons blancs

Persil en feuilles, ciselé

1. Couper les poissons en gros morceaux et enlever toutes les arêtes. Faire fondre le beurre dans une grande casserole, ajouter le poisson et les légumes, et remuer à feu moyen jusqu'à légèrement dorés.

2. Couvrir de vin et d'eau froide. Ajouter le bouquet garni et les épices, puis assaisonner. Porter à ébullition et laisser mijoter de 20 à 30 minutes.

3. Pour la garniture, faire fondre le beurre dans un poêlon et faire cuire les oignons pour les attendrir et les dorer. Incorporer les champignons et poursuivre la cuisson jusqu'à dorés.

4. Passer la soupe à travers un grand tamis dans une casserole propre. Jeter les fines herbes et les épices restantes. Répartir le poisson dans 6 plats profonds et garder au chaud. (Dépiauter le poisson si désiré.)

5. Faire chauffer la soupe jusqu'à ébullition. Réduire le feu et y incorporer le beurre manié en fouettant, un peu à la fois jusqu'à ce que la soupe épaississe. Assaisonner et verser un peu du liquide sur le poisson dans chaque plat, puis garnir chacun de petits oignons et de champignons. Parsemer ensuite de persil ciselé.

Information nutritionnelle par portion : énergie 323 kcal ou 1 346 kJ ; protéines 31,4 g ; glucides 2,3 g (sucre = 1,9 g) ; gras 11,6 g (saturés = 6,7 g) ; cholestérol 103 mg ; calcium 35 mg ; fibres 0,8 g ; sodium 192 mg.

Bouillabaisse +++

La bouillabaisse authentique vient du sud de la France. L'un de ses ingrédients principaux est la rascasse, ou poisson scorpion. D'autres poissons se prêtent cependant merveilleusement à sa préparation.

4 PORTIONS

45 ml (3 c. à soupe) d'huile d'olive

2 oignons hachés

2 poireaux (partie blanche seulement) nettoyés et hachés

4 gousses d'ail hachées

450 g (1 lb) de tomates mûres, pelées et hachées

3 l (12 tasses) de fond de poisson fumant ou d'eau bouillante

15 ml (1 c. à soupe) de concentré de tomates

1 grosse pincée de pistils de safran

1 bouquet garni de fines herbes fraîches (2 brins de thym, 2 feuilles de laurier et 2 brins de fenouil)

3 kg (6 1/2 lb) de poisson à chair blanche, nettoyé et coupé en gros morceaux

4 pommes de terre, pelées et taillées en tranches épaisses

Sel, poivre et poivre de Cayenne

Rouille et aïoli pour garnir

GARNITURE

16 morceaux (tranches) de pain de campagne, grillés et frottés d'ail

30 ml (2 c. à soupe) de persil ciselé

1. Faire chauffer l'huile dans une grande casserole. Ajouter les oignons, les poireaux, l'ail et les tomates. Faire cuire jusqu'à ce qu'ils ramollissent.

2. Incorporer en remuant le fond ou l'eau, le concentré de tomates et le safran. Ajouter le bouquet garni et porter à ébullition jusqu'à ce que l'huile soit bien amalgamée.

3. Réduire le feu, puis ajouter le poisson et les pommes de terre. Laisser mijoter de 5 à 8 minutes en retirant chaque type de poisson dès qu'il est cuit. Poursuivre la cuisson jusqu'à ce que les pommes de terre soient cuites. Assaisonner avec le sel, le poivre et le poivre de Cayenne.

4. Répartir le poisson et les pommes de terre dans des plats. Passer la soupe au tamis et verser le liquide sur le poisson. Garnir de pain de campagne et de persil. Servir immédiatement avec la rouille et l'aïoli.

Information nutritionnelle par portion : énergie 888 kcal ou 3 748 kJ ; protéines 105,5 g ; glucides 88 g (sucre = 14 g) ; gras 14,8 g (saturés = 2,3 g) ; cholestérol 230 mg ; calcium 217 mg ; fibres 7,3 g ; sodium 953 mg.

Bouillon de poisson thaïlandais

La citronnelle, les piments, la coriandre, la lime et le galangal entrent dans la préparation de cette soupe savoureuse et aromatique.

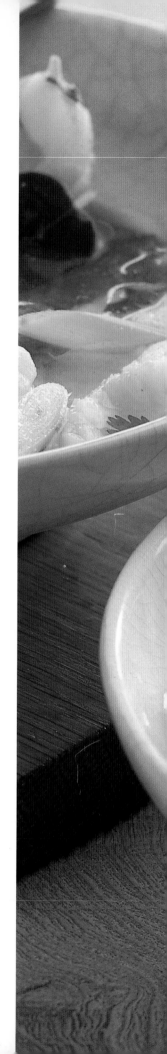

DE 2 À 3 PORTIONS

1 l (4 tasses) de fond de poisson ou de poulet allégé

4 tiges de citronnelle

3 limes

2 petits piments rouges frais très épicés, évidés et coupés en fines rondelles

1 morceau de 2 cm (3/4 po) de galangal, pelé et tranché fin

6 tiges et feuilles de coriandre

2 feuilles de lime kaffir, ciselées grossièrement (facultatif)

350 g (12 oz) de lotte, dépiautée et coupée en morceaux de 2,5 cm (1 po)

15 ml (1 c. à soupe) de vinaigre de riz

45 ml (3 c. à soupe) de sauce de poisson thaïlandaise (nam pla)

30 ml (2 c. à soupe) de feuilles de coriandre ciselées, pour garnir

1. Verser le fond dans une grande casserole et porter à ébullition. Entre-temps, couper les extrémités des tiges de citronnelle à la diagonale, en sections d'environ 3 mm (1/8 po) d'épaisseur. À l'aide d'un économe, peler quatre languettes de zeste de lime, en évitant de saisir la chair blanche sous l'écorce, car elle est amère. Presser le jus des limes et réserver.

2. Incorporer les sections de citronnelle, le zeste de lime, les piments, le galangal et les tiges de coriandre au fond de soupe, ainsi que les feuilles de lime kaffir, au goût. Faire mijoter de 1 à 2 minutes.

3. Ajouter la lotte, le vinaigre de riz et la sauce de poisson, ainsi que la moitié du jus de lime réservé. Poursuivre la cuisson environ 3 minutes ou jusqu'à ce que le poisson soit cuit. Retirer et jeter les tiges de coriandre. Goûter à la soupe et ajouter plus de jus de lime si nécessaire. La soupe doit être plutôt acidulée. Parsemer de feuilles de coriandre et servir très chaud.

VARIANTES

Substituer des crevettes, des pétoncles, du calmar ou de la plie à la lotte. Si on utilise des feuilles de lime kaffir, n'employer que le jus de deux limes.

Information nutritionnelle par portion : énergie 124 kcal ou 529 kJ ; protéines 28,3 g ; glucides 0,7 g (sucre = 0,6 g) ; gras 1g (saturés = 0,2 g) ; cholestérol 25 mg ; calcium 64 mg ; fibres 1,3 g ; sodium 40 mg.

Soupe de poisson avec rouille

En plus d'être rapide et facile à préparer, cette soupe est succulente, surtout garnie de rouille.
La sauce de type mayonnaise à l'ail est la garniture traditionnelle des soupes de poisson françaises.

6 PORTIONS

1 kg (2 1/4 lb) de poissons variés
30 ml (2 c. à soupe) d'huile d'olive
1 oignon haché
1 carotte hachée
1 poireau haché
2 grosses tomates mûres, hachées
1 poivron rouge évidé et haché
2 gousses d'ail pelées
150 g (2/3 tasse) de concentré de tomates
1 gros bouquet garni
300 ml (1 1/4 tasse) de vin blanc sec
Sel et poivre noir du moulin

ROUILLE

2 gousses d'ail grossièrement hachées
5 ml (1 c. à thé) de gros sel
1 gros morceau de pain blanc, croûte
    enlevée, trempé dans de l'eau, puis
    essoré
1 piment rouge frais, évidé et haché
45 ml (3 c. à soupe) d'huile d'olive
Sel et poivre de Cayenne

GARNITURE

12 tranches de baguette grillées au four
50 g (2 oz) de gruyère râpé fin

1. Couper le poisson en gros morceaux de 7,5 cm (3 po). Enlever toutes les arêtes. Faire chauffer l'huile dans une grande casserole, puis y déposer le poisson et les légumes. Remuer jusqu'à ce qu'ils soient dorés.

2. Ajouter tous les autres ingrédients, puis couvrir d'eau froide. Assaisonner et porter à quasi-ébullition avant de réduire le feu, puis laisser mijoter, couvert, pendant 1 heure.

3. Pour préparer la rouille, déposer l'ail et le sel dans un mortier et écraser en pâte à l'aide d'un pilon. Ajouter le pain et le piment, et continuer d'écraser jusqu'à consistance lisse. Ajouter l'huile d'olive en fouettant, une goutte à la fois.

4. Assaisonner la sauce obtenue de sel et de poivre, puis ajouter une pincée de poivre de Cayenne si vous préférez un goût piquant. Réserver.

5. Enlever et jeter le bouquet garni. Mettre la soupe en purée par étapes dans un robot culinaire ou un mélangeur, puis passer à travers un tamis très fin au-dessus d'une casserole propre.

6. Réchauffer doucement la soupe. Vérifier l'assaisonnement et rectifier au besoin. Déposer à la louche dans des plats. Garnir chacun de 2 morceaux de baguette grillée, d'une grosse cuillerée de rouille et de gruyère râpé. Servir immédiatement.

Information nutritionnelle par portion : énergie 518 kcal ou 2 179 kJ ; protéines 41,5 g ; glucides 49 g (sucre = 10,8 g) ; gras 14,9 g (saturés = 3,6 g) ; cholestérol 85 mg ; calcium 193 mg ; fibres 4,3 g ; sodium 665 mg.

Soupe au saumon agrémentée de « salsa » et de rouille

Cette merveilleuse soupe de poisson est idéale pour les réceptions d'été. Utilisez une crème fleurette (légère) et réduisez la quantité d'huile d'olive si vous voulez réduire sa teneur en gras. On peut également substituer de l'aneth ou du fenouil à l'oseille.

4 PORTIONS

90 ml (6 c. à soupe) d'huile d'olive

1 oignon haché

1 poireau haché

1 côte de céleri hachée

1 bulbe de fenouil grossièrement haché

1 poivron rouge évidé et coupé en lanières

3 gousses d'ail hachées

Zeste et jus de 2 oranges

1 feuille de laurier

1 boîte de 400 g (14 oz) de tomates en dés

1,2 l (5 tasses) de fond de poisson

1 pincée de poivre de Cayenne

1 filet de saumon dépiauté de 800 g (1 3/4 lb)

300 ml (1 1/4 tasse) de double-crème (épaisse)

Sel et poivre noir du moulin

4 minces morceaux de baguette au service

« SALSA ROUGE VIF »

2 tomates pelées, évidées et coupées en dés

1/2 petit oignon rouge haché très fin

15 ml (1 c. à soupe) d'œufs ou de caviar de morue

15 ml (1 c. à soupe) d'oseille fraîche hachée

ROUILLE

120 ml (1/2 tasse) de mayonnaise

1 gousse d'ail écrasée

5 ml (1 c. à thé) de concentré de tomates séchées au soleil

1. Faire chauffer l'huile dans une grande casserole, puis y ajouter l'oignon, le poireau, le céleri, le fenouil, le poivre et l'ail. Y ajouter ensuite le zeste d'orange et son jus, la feuille de laurier et les tomates. Couvrir et laisser cuire de 4 à 5 minutes. Incorporer le fond, couvrir de nouveau et laisser mijoter 30 minutes.

2. Ajouter le saumon et faire cuire doucement, mais complètement, de 8 à 10 minutes. Retirer le saumon à l'aide d'une cuillère à rainures et le déposer sur une assiette. Défaire le saumon en gros morceaux et retirer toutes les arêtes. Réserver.

3. Combiner tous les ingrédients de la « salsa ».

4. Pour préparer la rouille, mélanger tous ses ingrédients. Laisser la soupe refroidir un peu, puis jeter la feuille de laurier. Mettre la soupe en purée lisse dans un robot culinaire ou un mélangeur, puis la passer à travers un tamis dans la casserole propre. Y ajouter la crème, assaisonner, puis incorporer le saumon. Faire griller les morceaux de baguette des deux côtés. Réchauffer la soupe. Garnir chaque morceau de pain d'un peu de rouille et de « salsa ». Verser la soupe à la louche dans chaque plat et déposer un morceau de pain sur le dessus.

Information nutritionnelle par portion : énergie 1 153 kcal ou 4 772 kJ ; protéines 44,9 g ; glucides 13,7 g (sucre = 12,5 g) ; gras 102,5 g (saturés = 34,9 g) ; cholestérol 225 mg ; calcium 127 mg ; fibres 4,7 g ; sodium 268 mg.

Soupe niçoise au thon grillé

Les ingrédients de la célèbre salade originaire de Nice (au sud de la France) font de ce potage une soupe simple à préparer, mais pourtant succulente, grâce à l'ajout d'un bouillon parfumé à l'ail.

4 PORTIONS

12 filets d'anchois en pot, égouttés
30 ml (2 c. à soupe) de lait
115 g (4 oz) de haricots verts
    coupés en deux
4 tomates italiennes
16 olives noires, dénoyautées
    et coupées en quatre
1 l (4 tasses) de bouillon de légumes
3 gousses d'ail écrasées
30 ml (2 c. à soupe) de jus de citron
15 ml (1 c. à soupe) d'huile d'olive
4 filets de thon d'environ 75 g
    (3 oz chacun)
1 botte d'oignons verts, déchiquetés
    sur la longueur
1 poignée de feuilles de basilic finement
    ciselées
Sel et poivre noir du moulin
Pain de campagne au service

1. Faire tremper les anchois dans le lait pendant 10 minutes. Égoutter, puis assécher.

2. Faire cuire les haricots de 2 à 3 minutes. Égoutter, rincer à l'eau froide et égoutter de nouveau. Tailler les haricots les plus gros à la diagonale, sur la longueur. Peler, couper en deux et évider les tomates, puis les tailler en quartiers. Réserver.

3. Porter le bouillon à ébullition dans une grande casserole. Ajouter l'ail, réduire le feu et laisser mijoter 10 minutes. Assaisonner et parfumer de jus de citron.

4. Entre-temps, enduire une grille ou un poêlon d'huile et chauffer à très haute intensité. Assaisonner le thon et faire cuire 2 minutes de chaque côté.

5. Combiner les haricots verts, les tomates, les oignons verts, les anchois, les olives et le basilic.

6. Déposer les filets de thon dans des plats et les couvrir du mélange de légumes. Verser doucement le bouillon à la louche autour des ingrédients. Servir immédiatement avec un morceau de pain de campagne.

Information nutritionnelle par portion : énergie 217 kcal ou 909 kJ ; protéines 27,4 g ; glucides 3 g (sucre = 2,7 g) ; gras 10,7 g (saturés = 2,2 g) ; cholestérol 34 mg ; calcium 76 mg ; fibres 2 g ; sodium 829 mg.

Soupe au rouget et au fenouil

Cette délicieuse soupe de Provence en France est préparée avec une mayonnaise maison.
Le secret de sa réussite est de la faire cuire à feu doux afin d'éviter que la mayonnaise coagule.

4 PORTIONS

25 ml (1 1/2 c. à soupe) d'huile d'olive

1 oignon haché

3 gousses d'ail écrasées

2 bulbes de fenouil coupés en deux,
    évidés et taillés en tranches minces

4 tomates hachées

1 feuille de laurier

1 brin de thym frais

1,2 l (5 tasses) de fond de poisson

675 g (1 1/2 lb) de filets de rouget
    ou de vivaneau, écailles enlevées

8 tranches de baguette

1 gousse d'ail

30 ml (2 c. à soupe) de concentré de
    tomates séchées au soleil

12 olives noires, dénoyautées et coupées
    en quatre

Sel et poivre noir du moulin

Frondes de fenouil frais pour garnir

MAYONNAISE

2 jaunes d'œufs

10 ml (2 c. à thé) de vinaigre de vin blanc

300 ml (1 1/4 tasse) d'huile d'olive
    extra-vierge

1. Faire chauffer l'huile d'olive dans une grande casserole. Ajouter l'oignon et l'ail, et faire cuire 5 minutes pour les ramollir. Incorporer le fenouil et poursuivre la cuisson de 2 à 3 minutes. Ajouter les tomates, la feuille de laurier, le thym et le fond, puis mélanger. Porter à ébullition, puis réduire le feu et laisser mijoter 30 minutes.

2. Entre-temps, préparer la mayonnaise. Déposer les jaunes d'œufs et le vinaigre dans un plat. Assaisonner et fouetter vigoureusement en versant lentement un filet d'huile. Réserver.

3. Couper chaque filet de rouget en deux ou trois morceaux, les déposer dans la soupe et faire cuire 5 minutes. Réserver.

4. Passer le liquide de cuisson au tamis. Incorporer en fouettant une grosse cuillerée de soupe dans la mayonnaise, puis ajouter le reste du liquide. Remettre le tout dans une casserole propre et faire cuire doucement, en fouettant, jusqu'à ce que le tout épaississe. Ajouter le poisson. Réserver.

5. Faire griller les tranches de baguette des deux côtés. Les frotter d'ail et y étaler le concentré de tomates séchées. Répartir les olives sur les tranches.

6. Réchauffer la soupe sans la faire bouillir. Garnir chaque plat de 2 morceaux de pain et de fenouil.

Information nutritionnelle par portion : énergie 322 kcal ou 1 354 kJ ; protéines 35,3 g ; glucides 17,5 g (sucre = 6,4 g) ; gras 12,9 g (saturés = 1 g) ; cholestérol 0 mg ; calcium 173 mg ; fibres 4,4 g ; sodium 299 mg.

Soupe de nouilles thaïlandaises (pad thai) avec lotte

Cette soupe légère au lait de noix de coco tire son origine du plat thaïlandais classique aux nouilles frites. Elle convient parfaitement aux réceptions. La garniture d'oignon vert et de chili la fait paraître tout à fait alléchante.

4 PORTIONS

- 175 g (6 oz) de nouilles de riz plates
- 30 ml (2 c. à soupe) d'huile végétale
- 2 gousses d'ail écrasées
- 15 ml (1 c. à soupe) de pâte de cari rouge
- 450 g (1 lb) de queue de lotte, coupée en bouchées
- 300 ml (1 1/4 tasse) de lait de noix de coco
- 750 ml (3 tasses) de fond de poulet chaud
- 45 ml (3 c. à soupe) de sauce de poisson thaïlandaise (nam pla)
- 15 ml (1 c. à soupe) de sucre de palme
- 60 ml (4 c. à soupe) de cacahuètes (d'arachides) rôties, grossièrement hachées
- 4 oignons verts déchiquetés sur la longueur
- 50 g (2 oz) de pousses de haricot
- 1 grosse poignée de feuilles fraîches de basilic thaïlandais
- Sel et poivre noir du moulin
- 1 piment rouge évidé et taillé en fines lamelles, pour garnir

1. Faire tremper les nouilles dans de l'eau bouillante pendant 10 minutes ou selon les directives de l'emballage. Égoutter.

2. Faire chauffer l'huile à feu élevé dans un wok ou une casserole. Ajouter l'ail et faire cuire 2 minutes. Incorporer la pâte de cari et cuire encore 1 minute.

3. Ajouter la lotte et la faire frire à feu élevé de 4 à 5 minutes ou jusqu'à ce que le poisson soit presque cuit. Incorporer le lait de noix de coco et le fond, puis ajouter la sauce de poisson et le sucre. Porter à faible ébullition. Ajouter les nouilles égouttées et faire cuire de 1 à 2 minutes jusqu'à ce qu'elles soient tendres.

4. Ajouter la moitié des oignons verts, la moitié des cacahuètes (arachides), la moitié des pousses de haricots ainsi que le basilic et l'assaisonnement. Verser la soupe à la louche dans des plats profonds et répandre le reste des cacahuètes (arachides) sur le dessus. Garnir du reste des oignons verts, des pousses de haricots et du piment rouge.

Information nutritionnelle par portion : énergie 379 kcal ou 1 589 kJ ; protéines 25,5 g ; glucides 41,2 g (sucre = 4,7 g) ; gras 12 g (saturés = 2 g) ; cholestérol 18 mg ; calcium 49 mg ; fibres 0,9 g ; sodium 111 mg.

Soupe au saumon et au cari

Un soupçon de pâte de cari douce donne son parfum à cette soupe, sans pour autant la rendre trop épicée; la pâte de coco râpée lui confère une note de raffinement tout en unissant toutes les saveurs qui s'y trouvent.

4 PORTIONS

50 g (1/4 tasse) de beurre

2 oignons hachés en gros morceaux

10 ml (2 c. à thé) de pâte de cari douce

475 ml (2 tasses) d'eau

150 ml (2/3 tasse) de vin blanc

**300 ml (1 1/4 tasse) de double-crème
 (épaisse)**

**50 g (1/2 tasse) de pâte de coco râpée,
 ou 120 ml (1/2 tasse) de crème
 de noix de coco**

**2 pommes de terre, soit environ
 350 g (12 oz), coupées en dés**

**1 filet de saumon de 450 g (1 lb),
 dépiauté et coupé en bouchées**

**60 ml (4 c. à soupe) de feuilles
 de persil ciselées**

Sel et poivre noir du moulin

1. Faire fondre le beurre dans une grande casserole. Ajouter l'oignon et faire cuire de 3 à 4 minutes ou jusqu'à ce qu'il commence à ramollir. Incorporer la pâte de cari et poursuivre la cuisson 1 minute.

2. Ajouter l'eau, le vin, la pâte de coco râpée ou la crème de noix de coco ainsi que l'assaisonnement. Porter à ébullition et brasser jusqu'à ce que la noix de coco soit dissoute.

3. Ajouter les pommes de terre. Couvrir et laisser mijoter environ 15 minutes ou jusqu'à ce qu'elles soient tendres. Éviter qu'elles se défassent dans la soupe.

4. Ajouter le poisson délicatement afin de ne pas briser les morceaux. Laisser mijoter de 2 à 3 minutes ou jusqu'à ce qu'il soit cuit. Ajouter ensuite le persil et rectifier l'assaisonnement. Servir immédiatement.

Information nutritionnelle par portion : énergie 837 kcal ou 3 466 kJ ; protéines 26,3 g ; glucides 16,6 g (sucre = 3,6 g) ; gras 71,8 g (saturés = 41,2 g) ; cholestérol 186 mg ; calcium 74 mg ; fibres 0,9 g ; sodium 158 mg.

Chaudrée (chowder) de saumon et d'aneth +++

L'aneth est le compagnon idéal du saumon dans cette soupe onctueuse. De préférence, la servir dès la fin de la cuisson, alors que le saumon est à son plus tendre.

4 PORTIONS

20 g (1 1/2 c. à soupe) de beurre
1 oignon haché fin
1 poireau haché fin
1 petit bulbe de fenouil haché fin
25 g (1/4 tasse) de farine tout usage
1,75 l (7 tasses) de fond de poisson
2 pommes de terre moyennes coupées
    en dés de 1 cm (1/2 po)
450 g (1 lb) de saumon, dépiauté
    et coupé en cubes de 2 cm (3/4 po)
175 ml (3/4 tasse) de lait
120 ml (1/2 tasse) de double-crème
    (épaisse)
30 ml (2 c. à soupe) d'aneth frais ciselé
Sel et poivre noir du moulin

1. Faire fondre le beurre dans une grande casserole et y ajouter l'oignon, le poireau et le fenouil haché. Faire cuire 6 minutes jusqu'à ce qu'ils aient ramolli. Incorporer la farine. Réduire le feu à doux et poursuivre la cuisson 3 minutes en remuant avec une cuillère de bois de temps à autre.

2. Ajouter le fond de poisson et les pommes de terre à la casserole. Assaisonner d'un peu de sel et de poivre noir du moulin. Porter à ébullition puis réduire le feu, couvrir et laisser mijoter doucement 20 minutes ou jusqu'à ce que les pommes de terres soient tendres lorsqu'on les pique avec une fourchette.

3. Ajouter le saumon et faire cuire de 3 à 5 minutes ou jusqu'à ce qu'il soit prêt.

4. Incorporer le lait, la crème et l'aneth. Réchauffer en brassant de temps à autre, sans porter à ébullition. Rectifier l'assaisonnement. Verser à la louche dans des plats réchauffés au préalable.

Information nutritionnelle par portion : énergie 464 kcal ou 1 934 kJ ; protéines 27,9 g ; glucides 22,1 g (sucre = 6,5 g) ; gras 30 g (saturés = 12,9 g) ; cholestérol 101 mg ; calcium 131 mg ; fibres 3,1 g ; sodium 122 mg.

Chaudrée (chowder) d'aiglefin fumé et de courge musquée ✦✦

Inspirée d'une recette écossaise classique, cette soupe tire la saveur sucrée des plats américains de patates douces et de courge musquée. En outre, elle est parfumée d'un peu de basilic.

6 PORTIONS

400 g (14 oz) de patates douces (à chair rose)

225 g (8 oz) de courge musquée

50 g (1/4 tasse) de beurre

1 oignon haché

450 g (1 lb) de filets d'aiglefin fumé

300 ml (1 1/4 tasse) d'eau

600 ml (2 1/2 tasses) de lait

1 petite poignée de feuilles de basilic

60 ml (4 c. à soupe) de crème épaisse

Sel et poivre noir du moulin

1. Peler les patates douces et la courge musquée, puis couper en petites bouchées. Les faire cuire séparément dans de l'eau salée bouillante 15 minutes ou juste assez pour les attendrir. Bien égoutter.

2. Faire fondre la moitié du beurre dans une grande casserole. Ajouter l'oignon et le faire cuire de 4 à 5 minutes jusqu'à ce qu'il ait ramolli.

3. Dépiauter les filets d'aiglefin fumé à l'aide d'un couteau tranchant, puis les déposer dans la casserole avec l'eau. Porter à ébullition, réduire le feu et laisser mijoter 10 minutes jusqu'à ce que le poisson soit cuit. Le retirer du liquide à l'aide d'une cuillère à rainures et laisser refroidir. Réserver le liquide de cuisson.

4. Une fois le poisson refroidi, défaire la chair en gros morceaux, en éliminant la peau et les arêtes. Réserver le poisson.

5. Faire passer les patates douces à travers un tamis et les battre avec le reste du beurre en assaisonnant au goût. Faire aussi passer le liquide de cuisson du poisson à travers un tamis et le remettre dans la casserole nettoyée. Incorporer les patates douces en fouettant. Ajouter le lait et mélanger. Porter à ébullition. Laisser mijoter de 2 à 3 minutes.

6. Incorporer la courge musquée, le poisson, les feuilles de basilic thaïlandais et la crème, et mélanger. Assaisonner au goût. Réchauffer sans porter à ébullition. Déposer la soupe à la louche dans six plats réchauffés au préalable et servir immédiatement.

Information nutritionnelle par portion : énergie 285 kcal ou 1 196 kJ ; protéines 19,1 g ; glucides 20,7 g (sucre = 9,9 g) ; gras 14,7 g (saturés = 8,9 g) ; cholestérol 64 mg ; calcium 166 mg ; fibres 2,1 g ; sodium 173 mg.

Soupe de maquereau fumé et de tomates

Cette soupe se prépare dans une seule casserole. Le maquereau confère à la soupe une saveur robuste que des ingrédients aux tons d'agrumes comme la citronnelle et le tamarin viennent adoucir.

4 PORTIONS

200 g (7 oz) de filets de maquereau fumé

4 tomates

1 l (4 tasses) de bouillon de légumes

1 tige de citronnelle hachée fin

1 morceau de galangal frais de 5 cm (2 po) haché fin

4 échalotes hachées fin

2 gousses d'ail hachées fin

2,5 ml (1/2 c. à thé) de flocons de piment séché

15 ml (1 c. à soupe) de sauce de poisson thaïlandaise (nam pla)

5 ml (1 c. à thé) de sucre de palme ou de sucre « muscovado » (sucre roux de canne)

45 ml (3 c. à soupe) de jus de tamarin épais

1 petite botte de ciboulette fraîche ou d'oignons verts, pour garnir

1. Préparer le maquereau fumé. Retirer la peau si nécessaire, et la jeter, puis tailler le poisson en gros morceaux. Retirer toute arête restante.

2. Couper les tomates en deux et retirer la plupart des graines avec les doigts, puis tailler la chair en dés à l'aide d'un couteau bien aiguisé. Réserver.

3. Verser le bouillon dans la casserole et ajouter la citronnelle, le galangal, les échalotes et l'ail. Porter à ébullition, réduire le feu, puis laisser mijoter 15 minutes.

4. Ajouter le poisson, les tomates, les flocons de piment, la sauce de poisson, le sucre et le jus de tamarin. Laisser mijoter de 4 à 5 minutes ou jusqu'à ce que le poisson et les tomates soient cuits. Garnir de ciboulette ou d'oignons verts au service.

Information nutritionnelle par portion : énergie 203 kcal ou 845 kJ ; protéines 10,3 g ; glucides 5,3 g (sucre = 5 g) ; gras 15,8 g (saturés = 3,3 g) ; cholestérol 53 mg ; calcium 21 mg ; fibres 1,2 g ; sodium 385 mg.

Chaudrée (chowder) de morue, de féveroles et d'épinards

La morue fraîche et les légumes abondent dans cette soupe à la fois consistante et onctueuse, garnie de croûtons de grains croustillants qui absorbent le bouillon savoureux. Utilisez de jeunes haricots frais.

6 PORTIONS

1 l (4 tasses) de lait

150 ml (2/3 tasse) de double-crème (épaisse)

675 g (1 1/2 lb) de filets de morue, dépiautés et désossés

45 ml (3 c. à soupe) d'huile d'olive

1 oignon tranché

2 gousses d'ail hachées fin

450 g (1 lb) de pommes de terre tranchées mince

450 g (1 lb) de féveroles écossées

225 g (8 oz) de jeunes pousses d'épinards

1 pincée de muscade

30 ml (2 c. à soupe) de ciboulette ciselée

Sel et poivre noir du moulin

Ciboulette fraîche pour garnir

CROÛTONS

60 ml (4 c. à soupe) d'huile d'olive

6 tranches de pain de blé complet, croûtes enlevées, coupées en gros dés

1. Porter le lait et la crème à ébullition dans une grande casserole. Ajouter la morue et ramener à ébullition. Réduire le feu et laisser mijoter 3 minutes. Laisser reposer 6 minutes, jusqu'à ce que le poisson soit bien cuit. Le retirer du liquide. Défaire la chair de la morue en morceaux et retirer les arêtes ou la peau restantes. Réserver.

2. Faire chauffer l'huile dans une autre grande casserole, puis ajouter l'oignon et l'ail. Laisser cuire 5 minutes jusqu'à ce qu'ils aient ramolli, en remuant. Ajouter les pommes de terre et incorporer la préparation au lait en brassant. Porter à ébullition, réduire le feu, couvrir puis poursuivre la cuisson 10 minutes.

Incorporer les féveroles et cuire encore 10 minutes jusqu'à ce qu'elles soient tendres et que les pommes de terre commencent à se défaire.

3. Entre-temps, préparer les croûtons. Faire chauffer l'huile dans un poêlon et y déposer le pain. Faire cuire à feu moyen jusqu'à dorés. Égoutter sur un essuie-tout.

4. Déposer la morue dans la soupe et réchauffer le tout. Ajouter les épinards et laisser cuire en remuant de 1 à 2 minutes jusqu'à ce qu'ils s'affaisent. Assaisonner, puis ajouter la muscade et la ciboulette. Verser dans des plats à la louche et garnir de croûtons. Décorer de ciboulette au service.

Information nutritionnelle par portion : énergie 603 kcal ou 2 525 kJ ; protéines 37,9 g ; glucides 44,7 g (sucre = 12,2 g) ; gras 31,6 g (saturés = 12,4 g) ; cholestérol 96 mg ; calcium 398 mg ; fibres 7,6 g ; sodium 375 mg.

Soupe jamaïcaine de morue salée avec riz et haricots

Cette soupe dérive d'un plat de pois et de riz classique des Caraïbes. Elle requiert des doliques à œil noir, mais on peut aussi utiliser des haricots rouges. Cette soupe consistante peut constituer un repas en soi.

6 PORTIONS

15 ml (1 c. à soupe) d'huile de tournesol

75 g (6 c. à soupe) de beurre

115 g (4 oz) de morceaux de bacon coupé en tranches épaisses, sans couenne

1 oignon haché

2 gousses d'ail hachées

1 piment rouge, évidé et haché

225 g (1 tasse comble) de riz à grains longs

2 brins de thym frais

1 bâton de cannelle

1 boîte de 400 g (14 oz) de doliques à œil noir, égouttées et rincées

900 ml (3 3/4 tasses) d'eau

350 g (12 oz) de morue salée, trempée dans l'eau 24 heures (changer l'eau plusieurs fois)

Farine tout usage, pour enfariner

1 boîte de 400 g (14 oz) de lait de noix de coco

175 g (6 oz) de jeunes pousses d'épinards

30 ml (2 c. à soupe) de persil frais ciselé

Sel et poivre noir du moulin

1. Faire chauffer l'huile et 25 g (2 c. à soupe) de beurre dans une grande casserole à fond épais. Ajouter les morceaux de bacon et faire cuire de 3 à 4 minutes, jusqu'à dorés. Incorporer l'oignon, l'ail et le piment, puis cuire 4 ou 5 minutes.

2. Incorporer le riz. Faire cuire de 1 à 2 minutes jusqu'à ce que les grains soient transparents. Incorporer en remuant le thym, le bâton de cannelle et les doliques à œil noir. Laisser cuire de 1 à 2 minutes. Verser l'eau dans la casserole et porter à ébullition. Réduire le feu à doux et poursuivre la cuisson de 25 à 30 minutes.

3. Entre-temps, rincer la morue fumée à l'eau froide courante. L'essorer à l'aide d'un essuie-tout, puis retirer la peau. Couper en grosses bouchées, puis les enfariner en secouant bien l'excès.

4. Faire fondre le beurre restant dans un grand poêlon à fond épais. Ajouter la morue, par étapes au besoin, et laisser cuire de 4 à 5 minutes jusqu'à dorée. Retirer le poisson et réserver.

5. Incorporer le lait de noix de coco dans le riz cuit et les doliques. Retirer le bâton de cannelle et faire cuire de 2 à 3 minutes. Ajouter les épinards et poursuivre la cuisson de 2 à 3 minutes. Ajouter la morue et le persil ciselé. Assaisonner et réchauffer. Déposer la soupe dans des plats à la louche, puis servir.

Information nutritionnelle par portion : énergie 443 kcal ou 1 852 kJ ; protéines 30 g ; glucides 43,2 g (sucre = 5,1 g) ; gras 16,8 g (saturés = 8,3 g) ; cholestérol 71 mg ; calcium 105 mg ; fibres 3,8 g ; sodium 999 mg.

Chaudrée (chowder) aux fruits de mer

Le mot « chaudrée » vient de « chaudron », un type de casserole utilisé spécifiquement pour les soupes et les ragoûts. Servez ce plat substantiel avec du bon pain de campagne.

DE 4 À 6 PORTIONS

200 g (1 tasse comble) de grains de maïs en boîte égouttés

600 ml (2 1/2 tasses) de lait

15 g (1 c. à soupe) de beurre

1 petit poireau en rondelles

1 petite gousse d'ail écrasée

2 morceaux de bacon fumé, sans couenne, striés de gras, hachés

1 petit poivron vert évidé et coupé en dés

1 côte de céleri hachée

115 g (1/2 tasse) de riz à grains longs

5 ml (1 c. à thé) de farine tout usage

Environ 450 ml (presque 2/3 tasse) de fond de poulet ou de bouillon de légumes chaud

4 pétoncles géants, de préférence avec corail

115 g (4 oz) de filets de poisson à chair blanche comme la lotte ou la plie

15 ml (1 c. à soupe) de persil frais ciselé fin

1 bonne pincée de poivre de Cayenne

30 à 45 ml (2 à 3 c. à soupe) de crème fleurette (légère) (facultatif)

Sel et poivre noir du moulin

1. Déposer la moitié du maïs dans un robot culinaire ou un mélangeur. Ajouter un peu de lait et travailler jusqu'à ce que le mélange soit épais et onctueux. Faire fondre le beurre dans une grande casserole et y faire cuire le poireau, l'ail et le bacon de 4 à 5 minutes jusqu'à ce que le poireau ait ramolli, sans toutefois le dorer. Incorporer le céleri et le poivron vert, et faire suer à feu doux de 3 à 4 minutes en remuant.

2. Ajouter le riz en remuant, puis laisser cuire quelques minutes jusqu'à ce que les grains commencent à gonfler. Saupoudrer de farine et faire cuire 1 minute. Ajouter graduellement le lait restant et le fond. Porter à ébullition à feu moyen, puis réduire le feu et incorporer le maïs mis en crème ainsi que les grains de maïs. Bien assaisonner.

3. Couvrir et laisser mijoter la chaudrée (chowder) doucement pendant 20 minutes ou jusqu'à ce que le riz soit cuit, en remuant de temps à autre. Ajouter du fond ou de l'eau si la soupe épaissit trop rapidement ou si le riz colle au fond de la casserole.

4. Retirer les coquilles des pétoncles et les couper les pétoncles en fines tranches de 5 mm (1/4 po). Tailler ensuite le poisson en bouchées. Incorporer le poisson et les pétoncles à la chaudrée, puis laisser cuire 4 minutes. Ajouter alors les coquilles, le persil et le poivre de Cayenne. Poursuivre la cuisson quelques minutes et ajouter la crème, si désiré. Servir immédiatement.

Information nutritionnelle par portion : énergie 361 kcal ou 1 520 kJ ; protéines 21,9 g ; glucides 47,1 g (sucre = 13,6 g) ; gras 10,1 g (saturés = 4,9 g) ; cholestérol 41 mg ; calcium 213 mg ; fibres 2,1 g ; sodium 437 mg.

Soupe thaïlandaise aux crevettes et à la courge

Cette soupe à la courge est originaire du nord de la Thaïlande. Elle est assez consistante, soit à mi-chemin entre la soupe et le ragoût. La saveur effacée de la courge est rehaussée par le mélange de piments.

4 PORTIONS

1 courge musquée de 300 g (11 oz)

1 l (4 tasses) de bouillon de légumes

90 g (presque 1 tasse) de haricots verts, en morceaux

15 ml (1 c. à thé) de sauce de poisson thaïlandaise (nam pla)

225 g (8 oz) de crevettes crues

1 petite botte de basilic frais

Riz cuit au service

PÂTE DE CHILI

115 g (4 oz) d'échalotes tranchées

10 grains de poivre en pot égouttés

1 petit piment vert évidé et tranché

2,5 ml (1/2 c. à thé) de pâte de crevettes

1. Peler la courge musquée, puis la couper en deux. Enlever les graines à l'aide d'une cuillère, puis les jeter. Couper ensuite la chair en dés. Réserver.

2. Préparer la pâte de chili en écrasant ensemble au pilon, dans un mortier, l'échalote, les grains de poivre, le piment et la pâte de crevettes.

3. Faire chauffer le bouillon dans une grande casserole, puis y incorporer la pâte de chili. Ajouter la courge et les haricots, porter à ébullition et laisser cuire 15 minutes.

4. Ajouter la sauce de poisson, les crevettes et le basilic. Ramener à faible ébullition, puis laisser mijoter 3 minutes. Servir dans des plats avec du riz.

Information nutritionnelle par portion : énergie 64 kcal ou 271 kJ ; protéines 11,3 g ; glucides 3,4 g (sucre = 2,8 g) ; gras 0,7 g (saturés = 0,2 g) ; cholestérol 110 mg ; calcium 82 mg ; fibres 1,7 g ; sodium 199 mg.

Soupe thaïlandaise aux crevettes, à la citrouille et à la noix de coco

Dans cette soupe alléchante, l'ajout d'un peu de sucre vient renforcer le goût sucré naturel de la citrouille, lequel est équilibré par les piments, la pâte de chile et les crevettes séchées.

DE 4 À 6 PORTIONS

- 450 g (1 lb) de citrouille
- 2 gousses d'ail écrasées
- 4 échalotes hachées fin
- 2,5 ml (1/2 c. à thé) de pâte de crevettes
- 1 tige de citronnelle hachée
- 2 piments verts frais, évidés
- 15 ml (1 c. à soupe) de crevettes séchées, mises à tremper dans l'eau tiède pour couvrir 10 minutes
- 600 ml (2 1/2 tasses) de fond de poulet
- 600 ml (2 1/2 tasses) de lait de noix de coco
- 30 ml (2 c. à soupe) de sauce de poisson thaïlandaise (nam pla)
- 5 ml (1 c. à thé) de sucre granulé
- 115 g (4 oz) de petites crevettes cuites décortiquées
- Sel et poivre noir du moulin
- 2 piments rouges évidés et tranchés, ainsi que de 10 à 12 feuilles de basilic pour garnir

1. Peler la citrouille et la couper en quatre à l'aide d'un couteau tranchant. Retirer les graines à l'aide d'une cuillère et les jeter. Couper la chair en morceaux d'environ 2 cm (3/4 po) d'épaisseur et réserver.

2. Déposer l'ail, les échalotes, la pâte de crevette, la citronnelle, les piments verts et le sel (au goût) dans un mortier. Égoutter les crevettes séchées et jeter le liquide. Ajouter aux ingrédients du mortier, puis écraser à l'aide d'un pilon, ou utiliser un robot culinaire ou un mélangeur en vue d'obtenir la consistance d'une pâte.

3. Porter le fond de poulet à ébullition dans une grande casserole. Ajouter la pâte préparée et brasser pour délayer. Ajouter la citrouille et laisser mijoter de 10 à 15 minutes, ou jusqu'à ce que la citrouille soit cuite.

4. Ajouter le lait de noix de coco, puis laisser mijoter sans porter à ébullition. Incorporer alors la sauce de poisson, le sucre et le poivre au goût.

5. Ajouter enfin les crevettes et poursuivre la cuisson de 2 à 3 minutes, jusqu'à ce que la soupe soit chaude. Servir alors dans des plats réchauffés au préalable. Garnir de piments et de basilic.

Information nutritionnelle par portion : énergie 73 kcal ou 310 kJ ; protéines 6,5 g ; glucides 10,4 g (sucre = 9,8 g) ; gras 0,9 g (saturés = 0,5 g) ; cholestérol 56 mg ; calcium 102 mg ; fibres 1,3 g ; sodium 399 mg.

Soupe aux « wonton » avec queues de crevettes

Un fond de poulet bien assaisonné est essentiel à la réussite de cette soupe chinoise très populaire, vendue dans les nombreux kiosques d'aliments minute des villages de la Chine méridionale. Servez-la comme entrée ou comme élément d'un plat principal.

4 PORTIONS

200 g (7 oz) de porc haché

200 g (7 oz) de crevettes cuites décortiquées, décongelées si surgelées

10 ml (2 c. à thé) de vin de riz ou de sherry (xérès) sec

10 ml (2 c. à thé) de sauce de soja allégée

5 ml (1 c. à thé) d'huile de sésame

24 feuilles « wonton » minces

1,2 l (5 tasses) de fond de poulet

12 crevettes géantes décortiquées, avec la queue

1 sac de 350 g (12 oz) de pak choi (bok choi) grossièrement coupé

Sel et poivre noir du moulin

4 oignons verts tranchés et un morceau de gingembre frais de 1 cm (1/2 po) râpé fin pour garnir

1. Déposer le porc, les crevettes, le vin de riz ou le sherry (xérès), la sauce de soja et l'huile de sésame dans un grand récipient. Bien assaisonner et mélanger le tout.

2. Déposer environ 10 ml (2 c. à thé) de la préparation au centre de chaque « wonton ». Plier ensuite le « wonton » en appuyant fermement sur les bords afin de les coller et de former une petite poche.

3. Porter l'eau à ébullition dans une grande casserole. Ajouter les « wonton » et laisser cuire 3 minutes. Bien égoutter et réserver.

4. Verser le fond dans la casserole et porter à ébullition. Assaisonner au goût. Ajouter les crevettes et les faire cuire de 2 à 3 minutes. Incorporer les « wonton » et le pak choi, puis poursuivre la cuisson de 1 à 2 minutes. Garnir d'oignons verts et de gingembre au service.

ASTUCE DU CHEF

Les « wonton » portent divers noms. On les trouve frais ou surgelés. Ils sont confectionnés d'une pâte de blé dont la texture est semblable à celle de la pâte phyllo. Les « wonton » frais peuvent être conservés au réfrigérateur pendant 1 semaine.

Information nutritionnelle par portion : énergie 208 kcal ou 874 kJ ; protéines 26,8 g ; glucides 11,8 g (sucre = 2,2 g) ; gras 6,2 g (saturés = 2 g) ; cholestérol 179 mg ; calcium 234 mg ; fibres 2,4 g ; sodium 655 mg.

Soupe de fruits de mer méditerranéenne avec rouille au safran

Vous pouvez employer divers types de poisson dans cette soupe, mais assurez-vous d'avoir un poisson très frais. Choisissez un poisson à chair ferme qui ne se défait pas facilement durant la cuisson.

4 PORTIONS

450 g (1 lb) de palourdes fraîches, lavées

120 ml (1/2 tasse) de vin blanc

15 ml (1 c. à soupe) d'huile d'olive

4 gousses d'ail écrasées

5 ml (1 c. à thé) de graines de fenouil

1 pincée de flocons de piment séché

1 bulbe de fenouil, cœur retiré et détaillé en lamelles

1 poivron rouge, évidé et découpé en tranches

8 tomates italiennes coupées en deux

1 oignon coupé en quartiers minces

225 g (8 oz) de petites pommes de terre (cireuses), coupées en tranches

1 feuille de laurier

1 brin de thym frais

600 ml (2 1/2 tasses) de fond de poisson

1 petite baguette (ficelle)

225 g (8 oz) de lotte, en morceaux

350 g (2 oz) de filets de rouget ou de vivaneau, écailles enlevées, coupés en lanières

45 ml (3 c. à soupe) de Pernod

Sel et poivre noir du moulin

Frondes de fenouil pour garnir

ROUILLE

Quelques pistils de safran

150 ml (2/3 tasse) de mayonnaise

1 trait de sauce piquante (Tabasco)

1. Jeter toutes les palourdes ouvertes qui ne se referment pas sous l'effet d'un petit coup. Déposer les bonnes palourdes dans une grande casserole avec le vin. Couvrir et faire cuire à feu élevé 4 minutes ou jusqu'à ce que toutes les coquilles soient ouvertes.

2. Égoutter les palourdes et réserver le liquide de cuisson. Jeter tout crustacé fermé et réserver 8 palourdes dans leur coquille. Retirer la chair des autres palourdes et réserver.

3. Faire chauffer l'huile dans une casserole. Ajouter l'ail, les graines de fenouil et les flocons de piment. Laisser cuire environ 2 minutes ou jusqu'à ramolli.

4. Ajouter le fenouil, le poivron, les tomates, l'oignon et le liquide de cuisson. Couvrir et poursuivre la cuisson 10 minutes en remuant de temps à autre.

5. Incorporer les pommes de terre, la feuille de laurier et le thym, puis le fond de poisson. Laisser cuire, couvert, de 15 à 20 minutes de plus jusqu'à ce que les légumes soient tendres.

6. Entre-temps, préparer la rouille au safran. Déposer des pistils de safran dans un mortier et les écraser au pilon, puis mélanger avec la mayonnaise et la sauce piquante (Tabasco). Couper la baguette en 8 fines tranches et les faire griller des deux côtés. Réserver.

7. Ajouter la lotte, le rouget ou le vivaveau et le Pernod à la soupe. Laisser cuire de 3 à 4 minutes. Ajouter ensuite les palourdes, avec et sans coquille, et réchauffer 30 secondes. Retirer la feuille de laurier et les brins de thym. Bien assaisonner. Déposer la rouille à la cuillère sur les morceaux de pain grillé. Verser la soupe à la louche dans des plats. Garnir d'une fronde de fenouil et servir avec le pain grillé.

Information nutritionnelle par portion : énergie 728 kcal ou 3 048 kJ ; protéines 50,2 g ; glucides 40 g (sucre = 10,9 g) ; gras 37,1 g (saturés = 5,4 g) ; cholestérol 111 mg ; calcium 238 mg ; fibres 4,7 g ; sodium 1 940 mg.

Soupe aux pétoncles et aux artichauts de Jérusalem

La saveur à la fois douce et subtile des pétoncles se marie bien à celle des artichauts de Jérusalem dans cette soupe dorée à la fois alléchante et rassasiante.

6 PORTIONS

1 kg (2 1/4 lb) d'artichauts de Jérusalem, lavés et pelés

Jus de 1/2 citron

115 g (1/2 tasse) de beurre

1 oignon haché fin

600 ml (2 1/2 tasses) de fond de poisson

300 ml (1 1/4 tasse) de lait

1 grosse pincée de pistils de safran

6 pétoncles géants ou 12 petits avec corail

150 ml (2/3 tasse) de double-crème (épaisse)

Sel et poivre blanc du moulin

45 ml (3 c. à soupe) d'amandes en flocons et 15 ml (1 c. à soupe) de cerfeuil frais ciselé, pour garnir

1. Couper les artichauts en morceaux de 2 cm (3/4 po) et les déposer dans un plat d'eau froide additionnée de jus de citron.

2. Faire fondre la moitié du beurre et ajouter l'oignon. Faire cuire jusqu'à ce qu'il ait ramolli. Égoutter les artichauts et les ajouter à la casserole. Laisser cuire pendant 5 minutes. Incorporer le fond et le lait, puis ajouter le safran. Porter à ébullition et laisser mijoter jusqu'à tendre.

3. Détacher la coquille des pétoncles. Piquer la coquille et couper les pétoncles en deux à l'horizontale. Faire chauffer la moitié du beurre restant dans un poêlon. Faire cuire les pétoncles et leurs coquilles environ 1 minute de chaque côté. Les couper en dés et les garder séparés. Réserver.

4. Déposer les cœurs d'artichauts cuits dans un robot culinaire ou un mélangeur, ainsi que la moitié des pétoncles (partie blanche seulement). Mettre en purée. Remettre dans une casserole propre, assaisonner et garder au chaud.

5. Faire chauffer le beurre restant dans un autre poêlon et ajouter les amandes. Remuer jusqu'à ce qu'elles soient dorées. Incorporer les coquilles et laisser mijoter 30 secondes. Mélanger la crème à la soupe, puis ajouter la chair de pétoncles restante. Verser dans des plats à la louche et garnir d'amandes, de coraux et de cerfeuil.

Information nutritionnelle par portion : énergie 408 kcal ou 1 691 kJ ; protéines 12,8 g ; glucides 18,8 g (sucre = 16,4 g) ; gras 31,9 g (saturés = 17,5 g) ; cholestérol 86 mg ; calcium 150 mg ; fibres 4,7 g ; sodium 247 mg.

Bisque de homard

La bisque est un riche velouté qu'on peut faire à partir de n'importe quel crustacé,
par exemple le crabe ou la crevette. La recette qui suit vous comblera si vous adorez le homard.

6 PORTIONS

500 g (1 1/4 lb) de homard frais
    en morceaux

75 g (6 c. à soupe) de beurre

1 oignon haché

1 carotte coupée en dés

1 côte de céleri coupée en dés

45 ml (3 c. à soupe) de brandy

250 ml (8 oz) de vin blanc sec

1 l (4 tasses) de fond de poisson

15 ml (1 c. à soupe) de concentré de
    tomates

75 g (presque 1/2 tasse) de riz à grains
    longs

1 bouquet garni frais

150 ml (2/3 tasse) de double-crème
    (épaisse), et un peu plus pour garnir

Sel, poivre blanc du moulin et poivre de
    Cayenne

1. Faire fondre la moitié du beurre dans une casserole, ajouter les légumes et faire cuire à feu doux jusqu'à ce qu'ils aient ramolli. Incorporer le homard et remuer doucement jusqu'à ce que la carapace du crustacé devienne rouge.

2. Verser le brandy et flamber. Ajouter le vin lorsque les flammes s'éteignent et continuer de cuire afin de réduire de moitié. Incorporer le fond et laisser mijoter de 2 à 3 minutes. Retirer le homard.

3. Incorporer en remuant le concentré de tomates, le riz et le bouquet garni. Faire cuire jusqu'à ce que le riz soit tendre. Retirer la chair du homard de sa carapace et réserver. Remettre la carapace dans la casserole. Une fois le riz cuit, jeter tous les gros morceaux de carapace. Déposer le mélange dans un robot culinaire ou un mélangeur et mettre en purée.

4. Passer la purée à travers un fin tamis dans une casserole propre. Mélanger et porter à quasi ébullition. Assaisonner de sel, de poivre et de poivre de Cayenne. Réduire le feu et ajouter la crème. Couper le beurre restant en dés et le fouetter dans la bisque. Ajouter le homard et un peu de crème pour garnir, puis servir immédiatement.

Information nutritionnelle par portion : énergie 347 kcal ou 1 438 kJ ; protéines 8,5 g ; glucides 12,9 g
(sucre = 2,6 g) ; gras 24,3 g (saturés = 15 g) ; cholestérol 94 mg ; calcium 48 mg ; fibres 0,6 g ; sodium 195 mg.

Gombo aux fruits de mer de la Louisiane

Le gombo est une soupe, souvent servie comme plat principal sur du riz. Les huîtres ne coûtent pas cher en Louisiane (États-Unis); elles y abondent et y remplacent les moules dans cette recette.

6 PORTIONS

450 g (1 lb) de moules fraîches, bien lavées

450 g (1 lb) de crevettes non décortiquées

1 crabe cuit d'environ 1 kg (2 1/4 lb)

1 pincée de feuilles de persil ciselée, tiges réservées

150 ml (2/3 tasse) d'huile végétale

115 g (1 tasse) de farine tout usage

1 poivron vert haché

1 gros oignon haché

2 côtes de céleri hachées

3 gousses d'ail hachées fin

75 g (3 oz) de saucisson fumé épicé, gaine enlevée, et tranché

275 g (1 1/2 tasse) de riz blanc à grains longs

6 oignons verts émincés

Poivre de Cayenne, au goût

Sauce piquante (Tabasco), au goût

Sel

1. Porter 250 ml (1 tasse) d'eau à ébullition. Ajouter les moules, couvrir et faire cuire à feu élevé pendant 3 minutes en secouant fréquemment. Déposer les moules dans un tamis placé au-dessus d'un récipient à mesure qu'elles s'ouvrent. Jeter celles qui restent fermées. Remettre dans la casserole le liquide de cuisson égoutté dans le récipient et ajouter suffisamment d'eau pour atteindre 2 l (8 tasses) de liquide.

2. Décortiquer les crevettes et réserver. Mettre leurs carapaces et les têtes dans la casserole. Retirer la chair du crabe, séparer la chair brune de la blanche, puis déposer la carapace dans la casserole. Saler. Porter le fond à ébullition en l'écumant. Une fois qu'il est bien clair, ajouter les tiges de persil et laisser mijoter 15 minutes. Refroidir, passer au tamis et ajouter de l'eau pour obtenir 2 l (8 tasses) de fond.

3. Faire chauffer l'huile et ajouter la farine. Remuer avec une cuillère en bois à feu moyen jusqu'à ce que le roux soit lisse et doré. Ajouter le poivron, l'oignon, le céleri et l'ail et laisser cuire 3 minutes jusqu'à ce que l'oignon ait ramolli. Incorporer le saucisson, puis verser le fond. Réchauffer le fond. Incorporer la chair de crabe brune dans le roux et y verser graduellement du fond chaud, une louche à la fois, en brassant jusqu'à ce qu'il soit bien intégré. Porter à faible ébullition. Couvrir partiellement et laisser mijoter 30 minutes.

4. Entre-temps, faire cuire le riz. Ajouter au gombo les crevettes, les moules, la chair blanche de crabe et les oignons verts. Porter de nouveau à ébullition et assaisonner de sel, de poivre de Cayenne et d'un trait de sauce piquante (Tabasco). Laisser mijoter 1 minute, puis parsemer de persil. Verser la soupe à la louche sur le riz déposé dans des plats.

Information nutritionnelle par portion : énergie 518 kcal ou 2 161 kJ ; protéines 23,6 g ; glucides 54,8 g (sucre = 2,1 g) ; gras 22,9 g (saturés = 3,7 g) ; cholestérol 55 mg ; calcium 143 mg ; fibres 1,5 g ; sodium 728 mg.

Soupe au crabe, à la noix de coco et à la coriandre

Cette soupe rappelle les saveurs propres à l'État de Bahia au Brésil, notamment celles de la noix de coco onctueuse, de l'huile de palme, du parfum de la coriandre et du chile.

4 PORTIONS

30 ml (2 c. à soupe) d'huile d'olive

1 oignon haché fin

1 côte de céleri hachée fin

2 gousses d'ail écrasées

1 piment rouge frais, épépiné et haché

1 grosse tomate, pelée et hachée

45 ml (3 c. à soupe) de coriandre fraîche, hachée

1 l (4 tasses) de fond de crabe frais ou de poisson

500 g (1 1/4 lb) de chair de crabe

250 ml (1 tasse) de lait de noix de coco

30 ml (2 c. à soupe) d'huile de palme ou d'huile végétale

Jus de 1 lime

Sel

Huile de piment fort et quartiers de lime pour servir

1. Faire chauffer l'huile à feu doux dans une casserole. Ajouter l'oignon et le céleri, puis faire sauter 5 minutes jusqu'à ce qu'ils aient ramolli et soient transparents. Incorporer l'ail et le piment en remuant et faire cuire encore 2 minutes.

2. Ajouter la tomate hachée et la moitié de la coriandre. Augmenter le feu. Poursuivre la cuisson en remuant pendant 3 minutes, puis ajouter le fond. Porter à ébullition et laisser mijoter 5 minutes.

3. Incorporer la chair de crabe, le lait de noix de coco et l'huile de palme dans la casserole. Mélanger et laisser mijoter à feu très doux 5 minutes de plus. La soupe aura une consistance plutôt épaisse, mais pas autant qu'un ragoût. Ajouter un peu d'eau au besoin.

4. Incorporer le jus de citron et le reste de la coriandre. Assaisonner de sel au goût. Servir dans des plats réchauffés au préalable, avec de l'huile de piment fort et des quartiers de lime.

Information nutritionnelle par portion : énergie 228 kcal ou 951 kJ ; protéines 23,6 g ; glucides 5,4 g (sucre = 5 g) ; gras 12,6 g (saturés = 3,7 g) ; cholestérol 90 mg ; calcium 199 mg ; fibres 1,1 g ; sodium 767 mg.

Soupe provençale aux fruits de mer

Traditionnellement, cette soupe contient des moules, des pétoncles et des crevettes. Choisissez le poisson le plus frais de la saison afin de faire de cette recette une réussite incontestée.

DE 4 À 6 PORTIONS

450 g (1 lb) de moules fraîches

Environ 250 ml (1 tasse) de vin blanc

675 à 900 g (1 1/2 à 2 lb) de filets de poisson à chair blanche

6 gros pétoncles

30 ml (2 c. à soupe) d'huile d'olive

3 poireaux hachés

1 gousse d'ail écrasée

1 poivron rouge et 1 poivron jaune, évidés et hachés

175 g (6 oz) de bulbe de fenouil, émincé

1 boîte de 400 g (14 oz) de tomates en dés

150 ml (2/3 tasse) de « Passata Di Pomodoro » (purée de tomates en pot), égouttée

1 l (4 tasses) de fond de poisson

1 grosse pincée de pistils de safran, trempés dans 15 ml (1 c. à soupe) d'eau chaude

175 g (environ 1 tasse) de riz basmati, mis à tremper

8 grosses crevettes décortiquées et veines enlevées

Sel et poivre noir du moulin

30 à 45 ml (2 à 3 c. à soupe) de fenouil frais pour garnir

1. Nettoyer les moules et jeter toutes celles qui ne se referment pas sous l'effet d'un coup donné avec un couteau. Les déposer dans une grande casserole épaisse. Y verser 90 ml (6 c. à soupe) de vin blanc. Couvrir, porter à ébullition et faire cuire 3 minutes ou jusqu'à ce que les moules s'ouvrent.

2. Égoutter et réserver le liquide de cuisson. Jeter toutes les moules fermées. Réserver la moitié des moules dans leur coquille; décoquiller le reste.

3. Couper le poisson en cubes de 2,5 cm (1 po). Détacher les coquilles des pétoncles, puis couper la chair blanche en 3 ou 4 morceaux. Ajouter les pétoncles et leurs coquilles au poisson et aux moules décoquillées.

4. Faire chauffer l'huile et faire frire les poireaux et l'ail de 3 à 4 minutes, jusqu'à ce qu'ils aient ramolli. Ajouter le poivron et le fenouil, et frire encore 2 minutes. Incorporer les tomates, la Passata, le fond, l'eau de safran, le liquide de cuisson des moules réservé et le vin. Assaisonner et poursuivre la cuisson 5 minutes. Égoutter le riz, puis le mélanger à la soupe. Couvrir et laisser mijoter 10 minutes.

5. Ajouter le poisson blanc. Faire cuire à feu doux 5 minutes. Ajouter ensuite les crevettes et faire cuire encore 2 minutes. Incorporer les coraux des pétoncles et les moules décoquillées. Laisser cuire de 2 à 3 minutes. Ajouter plus de vin ou de fond si nécessaire. Verser la soupe à la louche dans des plats et garnir de moules en coquille. Parsemer de frondes de fenouil.

Information nutritionnelle par portion : énergie 568 kcal ou 2 385 kJ ; protéines 59,9 g ; glucides 50,5 g (sucre = 12,9 g) ; gras 9,7 g (saturés = 1,6 g) ; cholestérol 163 mg ; calcium 182 mg ; fibres 5,9 g ; sodium 418 mg.

Soupe aux moules au citron et à la citrouille

Cette soupe est un dérivé des moules marinière, un classique de la cuisine française à base de crustacés. La citrouille fraîche lui procure une consistance onctueuse tandis que le citron et le fenouil lui confèrent sa saveur. Voilà une soupe élégante qui saura ravir vos invités.

4 PORTIONS

1 kg (2 1/4 lb) de moules fraîches

300 ml (1 1/4 tasse) de vin blanc sec

1 gros citron

1 feuille de laurier

15 ml (1 c. à soupe) d'huile d'olive

1 oignon haché

1 gousse d'ail écrasée

675 g (1 1/2 lb) de citrouille ou de courge, pelée, évidée, chair retirée et coupée en gros morceaux

900 ml (3 3/4 tasses) de bouillon de légumes

30 ml (2 c. à soupe) de frondes d'aneth frais

Sel et poivre noir du moulin

Quartiers de citron pour servir

1. Nettoyer les moules et jeter toutes celles qui ne se referment pas quand on leur donne un petit coup. Déposer les bonnes moules dans une grande casserole épaisse et arroser de vin. Tailler de gros morceaux de zeste et presser les citrons. Mettre le zeste et le jus dans la casserole ainsi que la feuille de laurier. Couvrir et porter à ébullition, puis laisser cuire de 4 à 5 minutes, en remuant la casserole, jusqu'à ce que les moules s'ouvrent.

2. Égoutter les moules au-dessus d'un récipient et réserver le liquide de cuisson. Jeter le zeste de citron et la feuille de laurier, ainsi que toutes les moules fermées. Une fois les moules refroidies, en réserver quelques-unes et décoquiller le reste. Passer le liquide de cuisson au tamis.

3. Faire chauffer l'huile et y faire cuire l'oignon et l'ail de 4 à 5 minutes. Ajouter la citrouille et le liquide tamisé. Laisser mijoter sans couvercle de 5 à 6 minutes. Ajouter le bouillon et poursuivre la cuisson 25 minutes jusqu'à ce que la citrouille soit tendre.

4. Laisser refroidir la soupe un peu, puis la mettre en purée dans un robot culinaire ou un mélangeur. Remettre la soupe dans une casserole propre et assaisonner. Ajouter l'aneth et les moules décoquillées; porter à quasi-ébullition. Servir avec des quartiers de citron et garnir des moules réservées.

Information nutritionnelle par portion : énergie 161 kcal ou 678 kJ ; protéines 14,3 g ; glucides 4,2 g (sucre = 3,3 g) ; gras 4,6 g (saturés = 0,8 g) ; cholestérol 30 mg ; calcium 203 mg ; fibres 1,7 g ; sodium 161 mg.

Soupe espagnole aux fruits de mer

Cette soupe consistante propose tous les parfums et toutes les couleurs de la Méditerranée. Elle est suffisamment nourrissante pour constituer un repas principal. Rien ne vous empêche toutefois de l'éclaircir avec un peu de vin blanc et de l'eau afin d'obtenir une entrée élégante pour six personnes.

4 PORTIONS

675 g (1 1/2 lb) de crevettes crues non décortiquées

900 ml (3 3/4 tasses) d'eau froide

1 oignon haché

1 côte de céleri hachée

1 feuille de laurier

45 ml (3 c. à soupe) d'huile d'olive

2 morceaux de pain de la veille, sans la croûte

1 petit oignon haché fin

1 grosse gousse d'ail hachée

2 grosses tomates coupées en deux

1/2 gros poivron vert haché fin

500 g (1 1/4 lb) de coques ou de moules lavées

Jus de 1 citron

45 ml (3 c. à soupe) de persil frais ciselé

5 ml (1 c. à thé) de paprika

Sel et poivre noir du moulin

1. Retirer la tête des crevettes et les déposer dans une casserole avec de l'eau froide. Ajouter l'oignon, le céleri et la feuille de laurier, puis faire mijoter de 20 à 25 minutes. Décortiquer les crevettes et déposer leur écorce dans le fond.

2. Faire chauffer l'huile dans une casserole à l'épreuve du feu et y faire frire les morceaux de pain brièvement. Réserver. Faire cuire l'oignon jusqu'à ce qu'il ait ramolli, en ajoutant l'ail vers la fin de la cuisson.

3. Retirer et jeter les graines des tomates. Hacher la chair et l'incorporer à la casserole avec le poivron vert. Faire frire brièvement.

4. Passer le fond à travers le tamis dans la casserole et porter à ébullition. Vérifier les coques et les moules, et jeter celles qui sont ouvertes ou endommagées. Déposer la moitié des mollusques dans le fond. Lorsqu'ils sont ouverts, les retirer à l'aide d'une cuillère à rainures. En réserver quelques-unes dans une assiette. Décoquiller ensuite les autres coques et les moules, et jeter les coquilles. Répéter avec les mollusques restants.

5. Remettre les coques ou les moules dans la casserole et ajouter les crevettes. Y mettre aussi le pain, déchiqueté en petits morceaux, ainsi que le jus de citron et le persil ciselé. Assaisonner de paprika, de sel et de poivre, et bien remuer pour délayer graduellement le pain. Servir la soupe immédiatement dans des plats. Prévoir une assiette pour déposer les coquilles vides.

Information nutritionnelle par portion : énergie 234 kcal ou 978 kJ ; protéines 23,3 g ; glucides 11,3 g (sucre = 4,5 g) ; gras 10,9 g (saturés = 1,7 g) ; cholestérol 67 mg ; calcium 216 mg ; fibres 2 g ; sodium 1 193 mg.

Soupe de fruits de mer au safran +++

Rassasiante sans être trop riche, cette soupe dorée vous procurera un repas savoureux lors des premières soirées d'été. Servez-la avec du bon pain de campagne chaud et un délicieux vin blanc sec et fruité.

4 PORTIONS

1 panais coupé en quatre

2 carottes coupées en quatre

1 oignon coupé en quatre

2 côtes de céleri coupées en quatre

2 tranches de bacon fumé,
   couenne retirée *(pancetta)*

Jus de 1 citron

1 pincée de pistils de safran

450 g (1 lb) de têtes de poissons

450 g (1 lb) de moules fraîches lavées

1 poireau émincé

2 échalotes hachées fin

30 ml (2 c. soupe) d'aneth ciselé,
   et un peu plus pour garnir

450 g (1 lb) d'aiglefin dépiauté,
   arêtes retirées

3 jaunes d'œufs

30 ml (2 c. soupe) de
   double-crème (épaisse)

Sel et poivre noir du moulin

1. Déposer le panais, les carottes, l'oignon, le céleri, le bacon, le jus de citron, les pistils de safran et les têtes de poisson dans une grande casserole. Couvrir de 900 ml (3 3/4 tasses) d'eau. Porter à ébullition et faire cuire environ 20 minutes ou jusqu'à réduction du liquide de moitié.

2. Jeter les moules qui restent ouvertes après qu'on les frappe avec un couteau. Déposer les bonnes moules dans la casserole. Laisser cuire environ 4 minutes jusqu'à ce qu'elles s'ouvrent. Passer la soupe au tamis et remettre le liquide dans la casserole. Jeter les moules non ouvertes. Décoquiller les moules restantes et réserver.

3. Ajouter le poireau et les échalotes à la soupe et laisser mijoter 5 minutes. Ajouter ensuite l'aneth et l'aiglefin, et laisser mijoter 5 minutes de plus. Retirer le poisson et le défaire en morceaux à l'aide d'une fourchette.

4. Dans un autre plat, fouetter ensemble l'œuf et la crème. Y ajouter en fouettant un peu de soupe chaude, puis verser la préparation dans le liquide chaud de la casserole, toujours en fouettant. Continuer de fouetter tandis que la soupe épaissit, sans la faire bouillir.

5. Déposer l'aiglefin et les moules dans la soupe et rectifier l'assaisonnement. Garnir d'aneth et servir immédiatement.

Information nutritionnelle par portion : énergie 278 kcal ou 1 167 kJ ; protéines 33,2 g ; glucides 9,8 g (sucre = 8,5 g) ; gras 12,1 g (saturés = 4,8 g) ; cholestérol 222 mg ; calcium 147 mg ; fibres 3,4 g ; sodium 377 mg.

Soupe de moules parfumée au safran

Ce velouté onctueux rappelle la mer. Le safran accompagne à merveille ╪ ╪ ╪
les mollusques et donne à la soupe une douce couleur jaune.

4 PORTIONS

1,5 kg (3 à 3 1/2 lb) de moules fraîches
600 ml (2 1/2 tasses) de vin blanc
Quelques brins de persil frais
50 g (1/4 tasse) de beurre
2 poireaux hachés fin
2 côtes de céleri hachées fin
1 carotte, hachée
2 gousses d'ail, hachées
1 grosse pincée de pistils de safran
600 ml (2 1/2 tasses) de double-crème
(épaisse)
3 tomates, pelées, évidées et hachées
Sel et poivre noir du moulin
30 ml (2 c. à soupe) de ciboulette fraîche
ciselée pour garnir

1. Nettoyer et ébarber les moules. Déposer dans une grande casserole avec le vin et le persil. Couvrir, porter à ébullition et faire cuire de 4 à 5 minutes en remuant la casserole jusqu'à ce que les moules soient ouvertes. Jeter les tiges de fines herbes et les moules non ouvertes.

2. Égoutter les moules au-dessus d'un grand récipient et réserver le liquide de cuisson. Lorsqu'elles sont suffisamment refroidies, décoquiller la moitié des moules cuites. Réserver le tout.

3. Faire fondre le beurre dans une grande casserole. Ajouter le poireau, le céleri, la carotte et l'ail. Faire cuire 5 minutes. Passer le liquide de cuisson des moules à travers un fin tamis. Verser dans la casserole et poursuivre la cuisson à feu élevé de 8 à 10 minutes afin de faire réduire le liquide. Passer au tamis dans une casserole propre, ajouter le safran et laisser cuire 1 minute.

4. Ajouter la crème et porter à ébullition de nouveau. Assaisonner. Ajouter ensuite les moules et les tomates, puis réchauffer doucement. Servir parsemé de ciboulette ciselée.

Information nutritionnelle par portion : énergie 1 054 kcal ou 4 359 kJ ; protéines 22,8 g ; glucides 7,5 g (sucre = 7,4 g) ; gras 93,4 g (saturés = 57,1 g) ; cholestérol 277 mg ; calcium 327 mg ; fibres 1,4 g ; sodium 372 mg.

Soupes de viande ou de volaille

Les soupes consistantes à base de viande apportent un merveilleux réconfort les froides journées d'hiver. La soupe au poulet, au poireau et au céleri est en soi un repas complet. Vous pouvez aussi essayer une soupe plus légère, par exemple la soupe au poulet et au chile à l'orientale, en guise d'entrée ou de déjeuner. Lors d'une réception, pourquoi ne pas faire sensation avec un velouté de canard agrémenté d'une relish aux myrtilles (bleuets).

Soupe au poulet marocaine avec beurre « charmoula »

Cette soupe savoureuse tire son inspiration de nombreux ingrédients nord-africains. Son goût est relevé de chile et on la sert avec un beurre âcre au citron mis en crème avec une chapelure croquante.

6 PORTIONS

50 g (1/4 tasse) de beurre

450 g (1 lb) de poitrines de poulet
   en lanières

1 oignon haché

2 gousses d'ail écrasées

7,5 ml (1 1/2 c. à thé) de farine tout usage

15 ml (1 c. à soupe) de « harissa »

1 l (4 tasses) de fond de poulet

1 boîte de 400 g (14 oz) de tomates en dés

1 boîte de 400 g (14 oz) de pois chiches,
   égouttés et rincés

Sel et poivre noir du moulin

Quartiers de citron pour servir

« CHARMOULA »

50 g (1/4 tasse) de beurre à la
   température de la pièce

30 ml (2 c. à soupe) de coriandre fraîche
   ciselée

2 gousses d'ail écrasées

5 ml (1 c. à thé) de cumin

1 piment rouge évidé et haché

1 pincée de pistils de safran

Zeste fin de 1/2 citron

5 ml (1 c. à thé) de paprika

25 g (1 tasse) de chapelure

1. Faire fondre le beurre dans une casserole épaisse. Y déposer le poulet et faire cuire de 5 à 6 minutes jusqu'à presque doré. Retirer le poulet et réserver. Ajouter les oignons et l'ail, et faire cuire de 4 à 5 minutes ou jusqu'à ce qu'ils aient ramolli.

2. Incorporer la farine en remuant constamment et faire cuire de 3 à 4 minutes jusqu'à presque dorée. Ajouter le « harissa » et poursuivre la cuisson 1 minute. Verser graduellement le fond et faire cuire de 2 à 3 minutes, jusqu'à léger épaississement. Incorporer les tomates. Remettre le poulet dans la soupe et ajouter les pois chiches. Couvrir et faire cuire 20 minutes à feu doux. Bien assaisonner.

3. Pour préparer le beurre « charmoula », déposer le beurre dans un plat et y ajouter en battant la coriandre, l'ail, le cumin, le piment rouge, les pistils de safran, le zeste de citron et le paprika. Une fois le tout bien mélangé, incorporer la chapelure.

4. Déposer la soupe à la louche dans six plats réchauffés au préalable. Placer une petite cuillerée de « charmoula » au centre de chaque plat et laisser le beurre fondre quelques instants dans la soupe avant de la servir. Agrémenter de quartiers de citron.

Information nutritionnelle par portion : énergie 313 kcal ou 1 312 kJ ; protéines 25 g ; glucides 18,3 g (sucre = 3,3 g) ; gras 16,1 g (saturés = 9 g) ; cholestérol 88 mg ; calcium 53 mg ; fibres 3,6 g ; sodium 207 mg.

Soupe au poulet, au poireau et au céleri

Cette soupe consistante représente un repas nourrissant lorsqu'on la sert avec du bon pain de campagne. Il suffit de l'accompagner d'un morceau de fromage et d'une salade, ou encore de la faire suivre d'un fruit frais.

DE 4 À 6 PORTIONS

1,4 kg (3 lb) de poulet élevé en liberté
1 petit pied de céleri, nettoyé
1 oignon haché en gros morceaux
1 feuille de laurier fraîche
Quelques tiges de persil frais
Quelques tiges d'estragon frais
2,4 l (10 tasses) d'eau froide
3 gros poireaux
65 g (5 c. à soupe) de beurre

2 pommes de terre coupées en morceaux
150 ml (2/3 tasse) de vin blanc sec
30 à 45 ml (2 à 3 c. à soupe) de crème simple (fleurette) ou légère (facultatif)
Sel et poivre noir du moulin
90 g (3 1/2 oz) de pancetta, grillée et croustillante, pour garnir

1. Désosser les escalopes de poulet et réserver. Diviser le reste de la carcasse du poulet en 8 ou 10 morceaux et les déposer dans une grande casserole. Couper 4 ou 5 des côtes extérieures du céleri en morceaux et mettre dans la casserole avec l'oignon. Attacher ensemble la feuille de laurier et les tiges d'estragon, puis déposer dans la casserole. Verser suffisamment d'eau pour couvrir et porter à ébullition. Réduire la chaleur et laisser mijoter, couvert, pendant 1 heure 30 minutes.

2. Retirer le poulet, séparer la viande de la carcasse et la réserver. Passer le fond au tamis, puis le remettre dans la casserole et le porter rapidement à ébullition; réduire à 1,5 l (6 1/4 tasses).

3. Entre-temps, réserver 150 g (5 oz) des poireaux. Couper le poireau restant en rondelles, et le céleri, en morceaux. Réserver les feuilles retirées du céleri. Faire fondre le beurre dans une grande casserole épaisse. Y déposer le poireau et le céleri, puis laisser cuire, couvert, 10 minutes ou jusqu'à ce que les légumes aient ramolli, sans dorer. Ajouter les pommes de terre, le vin et 1,2 l (5 tasses) de fond. Bien assaisonner, porter à ébullition, puis réduire le feu. Couvrir partiellement et laisser mijoter de 15 à 20 minutes.

4. Entre-temps, dépiauter les escalopes de poulet réservées et les couper en petites bouchées. Faire fondre le beurre restant dans un poêlon, ajouter le poulet et frire de 5 à 7 minutes ou jusqu'à ce qu'il soit cuit. Tailler le poireau restant en rondelles épaisses, ajouter au poêlon et faire cuire complètement de 3 à 4 minutes.

5. Déposer la soupe et le poulet dans un robot culinaire ou un mélangeur et mettre en purée. Rectifier l'assaisonnement au goût. Ajouter davantage de fond si la soupe est trop épaisse. Incorporer la crème, si désiré, ainsi que la préparation de poulet et de poireau. Réchauffer et déposer dans des plats. Éparpiller des miettes de pancetta sur la soupe et garnir de feuilles de céleri.

Information nutritionnelle par portion : énergie 249 kcal ou 1 246 kJ ; protéines 40,5 g ; glucides 22,1 g (sucre = 5,9 g) ; gras 2,8 g (saturés = 0,7 g) ; cholestérol 105 mg ; calcium 69 mg ; fibres 4,9 g ; sodium 124 mg.

Soupe de poulet et riz agrémentée de citrouille

Cette soupe chaude est très réconfortante et est le plat idéal au déjeuner. Pour en faire un repas plus consistant, vous n'avez qu'à ajouter plus de riz et à utiliser toute la viande du poulet.

4 PORTIONS

1 morceau de citrouille, pelé,
   d'environ 450 g (1 lb)
15 ml (1 c. à soupe) d'huile de tournesol
25 g (2 c. à soupe) de beurre
6 graines de cardamome verte
2 poireaux hachés
115 g (1/2 tasse comble) de riz basmati,
   mis à tremper
350 ml (1 1/2 tasse) de lait
Sel et poivre noir du moulin
Lamelles de zeste d'orange, pour garnir

FOND DE POULET
2 quarts de poulet
1 oignon coupé en quartiers
2 carottes hachées
1 côte de céleri hachée
6 à 8 grains de poivre
900 ml (3 3/4 tasses) d'eau

1. Déposer les ingrédients du fond dans une casserole et porter à ébullition. Écumer, puis réduire le feu, couvrir et laisser mijoter pendant 1 heure. Passer le fond au tamis dans un récipient et jeter les légumes.

2. Dépiauter et désosser un ou les deux morceaux de poulet, puis couper la viande en lanières. Retirer les graines et la mœlle de la citrouille, puis couper sa chair en petits dés.

3. Faire chauffer l'huile et le beurre, puis y faire frire les graines de cardamome de 2 à 3 minutes. Ajouter le poireau et la citrouille, et faire cuire de 3 à 4 minutes. Réduire le feu, couvrir et faire suer 5 minutes. Ajouter 600 ml (2 1/2 tasses) de fond aux légumes.

4. Porter à ébullition, puis réduire le feu, couvrir et laisser mijoter 15 minutes. Ajouter de l'eau au fond afin d'obtenir 300 ml (1 1/4 tasse) de liquide.

5. Égoutter le riz et le déposer dans la casserole. Y ajouter le fond. Porter à ébullition, puis laisser mijoter 10 minutes jusqu'à ce que le riz soit tendre. Assaisonner.

6. Retirer les graines de cardamome, puis mettre la soupe en purée dans un robot culinaire ou un mélangeur. Verser dans une casserole propre, puis ajouter le lait, le poulet et le riz. Réchauffer. Au service, garnir de zeste d'orange et de poivre noir.

Information nutritionnelle par portion : énergie 315 kcal ou 1 320 kJ ; protéines 24,6 g ; glucides 29,9 g (sucre = 6,3 g) ; gras 10,8 g (saturés = 4,9 g) ; cholestérol 71 mg ; calcium 140 mg ; fibres 2,1 g ; sodium 122 mg.

Soupe au poulet et aux poireaux agrémentée de pruneaux et d'orge

Cette recette s'inspire de la soupe traditionnelle écossaise (cock-a-leekie).
La combinaison peu courante de poireaux et de pruneaux est étonnamment délicieuse.

6 PORTIONS

1 poulet d'environ 2 kg (4 1/2 lb)
900 g (2 lb) de poireaux
1 feuille de laurier fraîche
Quelques tiges de persil frais
   et quelques tiges de thym
1 grosse carotte tranchée fin
2,4 l (10 tasses) de fond de poulet
   ou de bœuf
115 g (1/2 tasse comble) d'orge perlé
400 g (14 oz) de pruneaux
Sel et poivre noir du moulin
Persil frais ciselé pour garnir

1. Retirer la viande des poitrines et réserver. Déposer la carcasse dans une casserole. Couper la moitié des poireaux en sections de 5 cm (2 po) et les déposer dans la casserole. Faire un bouquet garni avec la feuille de laurier, le persil et le thym, puis déposer dans la casserole avec la carotte et le fond. Porter à ébullition, couvrir et laisser mijoter 1 heure. Écumer au besoin. Ajouter les poitrines de poulet et continuer la cuisson 30 minutes ou jusqu'à ce que la viande soit cuite.

2. Laisser refroidir suffisamment pour manipuler. Passer le fond au tamis. Réserver la viande, mais jeter la peau, les os, les fines herbes et les légumes. Dégraisser, puis remettre dans la casserole.

3. Rincer l'orge perlé, puis le faire cuire dans une casserole d'eau bouillante pendant 10 minutes. Égoutter, rincer et égoutter de nouveau. Ajouter l'orge au fond. Porter à ébullition, puis réduire le feu et laisser mijoter de 15 à 20 minutes, ou jusqu'à ce que l'orge soit tendre. Saler et poivrer.

4. Ajouter les pruneaux, Émincer les poireaux restants et déposer dans la casserole. Porter à ébullition, puis laisser mijoter pendant 10 minutes jusqu'à ce qu'ils soient cuits. Tailler le poulet en tranches et les ajouter à la soupe. La servir parsemée de persil.

Information nutritionnelle par portion : énergie 359 kcal ou 1 526 kJ ; protéines 41,7 g ; glucides 44 g
(sucre = 26,9 g) ; gras 3 g (saturés = 0,6 g) ; cholestérol 105 mg ; calcium 73 mg ; fibres 7,4 g ; sodium 104 mg.

Soupe au poulet à la noix de coco

Ce potage délicat de style européen réunit les saveurs de la Thaïlande.
Une garniture d'échalotes croustillantes vient compléter sa présentation.

6 PORTIONS

40 g (3 c. à soupe) de beurre

1 oignon haché fin

2 gousses d'ail écrasées

1 morceau de gingembre de 2,5 cm (1 po)
  haché fin

10 ml (2 c. à thé) de pâte de cari vert
  thaïlandaise

2,5 ml (1/2 c. à thé) de curcuma

1 boîte de 400 ml (14 oz) de lait de noix
  de coco

475 ml (2 tasses) de fond de poulet

2 feuilles de lime ciselées

1 tige de citronnelle hachée fin

8 hauts de cuisse de poulet désossés

350 g (12 oz) d'épinards grossièrement
  hachés

10 ml (2 c. à thé) de sauce de poisson
  thaïlandaise (nam pla)

30 ml (2 c. à soupe) de jus de lime

30 ml (2 c. à soupe) d'huile végétale

2 échalotes hachées fin

1 petite poignée de feuilles de basilic
  thaïlandais pourpre

Sel et poivre noir du moulin

1. Faire fondre le beurre dans une grande casserole. Ajouter l'oignon, l'ail et le gingembre, et faire cuire de 4 à 5 minutes jusqu'à ce qu'ils aient ramolli. Ajouter en remuant la pâte de cari et le curcuma, et poursuivre la cuisson de 2 à 3 minutes en remuant constamment.

2. Verser les 2/3 du lait de noix de coco et laisser cuire 5 minutes. Ajouter le fond, les feuilles de lime, la citronnelle et le poulet. Laisser mijoter 15 minutes jusqu'à ce que le poulet soit cuit. Retirer le poulet et le laisser refroidir.

3. Déposer les épinards dans la casserole et faire cuire de 3 à 4 minutes. Incorporer le lait de noix de coco restant ainsi que les assaisonnements. Mettre ensuite en purée dans un robot culinaire ou un mélangeur.

4. Remettre la soupe dans la casserole rincée. Couper le poulet en petites bouchées et le mélanger à la soupe avec la sauce de poisson et le jus de lime. Réchauffer la soupe sans porter à ébullition.

5. Entre-temps, faire chauffer l'huile dans un poêlon et y faire frire l'échalote de 6 à 8 minutes jusqu'à dorée. Égoutter, puis servir la soupe garnie de feuilles de basilic et d'échalotes frites.

Information nutritionnelle par portion : énergie 136 kcal ou 570 kJ ; protéines 14,1 g ; glucides 5,2 g (sucre = 4,9 g) ; gras 6,7 g (saturés = 3,8 g) ; cholestérol 49 mg ; calcium 125 mg ; fibres 1,4 g ; sodium 344 mg.

Soupe chinoise au poulet et au piment rouge

Le gingembre et la citronnelle parfument cette soupe savoureuse et rafraîchissante à la chinoise. Vous pouvez la servir en guise de repas léger ou comme premier plat.

4 PORTIONS

150 g (5 oz) de poitrines de poulet désossées et coupées en lanières

1 morceau de gingembre frais de 2,5 cm (1 po), haché fin

1 tige de citronnelle fraîche de 5 cm (2 po), hachée fin

1 piment rouge évidé et coupé en fines rondelles

8 épis de maïs miniatures coupés dans le sens de la longueur

1 grosse carotte coupée en bâtonnets fins

1 l (4 tasses) de fond de poulet chaud

12 petits champignons shiitake, tranchés fin

4 oignons verts en tranches, tranchés fin

115 g (1 tasse) de nouilles de riz (vermicelle)

30 ml (2 c. à soupe) de sauce de soja

Sel et poivre noir du moulin

1. Déposer le poulet, le gingembre, la citronnelle et le piment rouge dans un grand plat allant au four. Ajouter le maïs miniature et les bâtonnets de carotte. Verser par-dessus le fond de poulet et couvrir.

2. Chauffer le four à 200 °C (400 °F) et y mettre le plat. Faire cuire de 30 à 40 minutes ou jusqu'à ce que le fond mijote et que le poulet et les légumes soient tendres. Ajouter l'oignon vert et les champignons, puis poursuivre la cuisson au four 10 minutes.

3. Entre-temps, déposer les nouilles dans un grand récipient et couvrir d'eau bouillante. Faire tremper selon les directives de l'emballage.

4. Incorporer la sauce de soja à la soupe. Rectifier l'assaisonnement en ajoutant du sel et du poivre au goût.

5. Égoutter les nouilles et les répartir dans 4 plats de service réchauffés au préalable.

6. Répartir la soupe dans les plats et servir immédiatement.

Information nutritionnelle par portion : énergie 165 kcal ou 693 kJ ; protéines 13,3 g ; glucides 26 g (sucre = 3,1 g) ; gras 0,9 g (saturés = 0,2 g) ; cholestérol 26 mg ; calcium 23 mg ; fibres 1,4 g ; sodium 852 mg.

Velouté de canard agrémenté d'une « relish » aux myrtilles (bleuets)

Ce velouté est riche et savoureux, en plus de convenir parfaitement aux occasions spéciales. Vous pouvez utiliser un canard entier si vous le désirez, quoique l'utilisation de parties, comme des poitrines ou des cuisses, puisse vous faciliter la tâche.

4 PORTIONS

2 poitrines de canard

4 tranches de bacon assez gras

1 oignon haché

1 gousse d'ail hachée

2 carottes coupées en dés

2 côtes de céleri hachées

4 grosses têtes de champignons, hachées

15 ml (1 c. à soupe) de concentré de tomates

2 cuisses de canard

15 ml (1 c. à soupe) de farine tout usage

45 ml (3 c. à soupe) de brandy

150 ml (2/3 tasse) de porto

300 ml (1 1/4 tasse) de vin rouge

900 ml (3 3/4 tasses) de fond de poulet

1 feuille de laurier

2 tiges de thym frais

15 ml (1 c. à soupe) de gelée de groseilles rouges

150 ml (2/3 tasse) de double-crème (épaisse)

Sel et poivre noir du moulin

« RELISH » AUX MYRTILLES (BLEUETS)

150 g (1 1/4 tasse) de myrtilles fraîches (bleuets frais)

15 ml (1 c. à soupe) de sucre ultrafin

Zeste et jus de 2 limes

15 ml (1 c. à soupe) de persil frais ciselé

15 ml (1 c. à soupe) de vinaigre balsamique

1. Scarifier la peau et le gras des poitrines de canard. Préchauffer une casserole épaisse et y déposer les poitrines, peau en dessous. Faire cuire de 8 à 10 minutes jusqu'à dorées. Retourner les poitrines et poursuivre la cuisson de 5 à 6 minutes. Retirer le canard de la casserole et réserver. Vider le gras qui s'y trouve, sauf 45 ml (3 c. à soupe).

2. Couper le bacon en morceaux et le déposer dans la casserole avec l'oignon, l'ail, les carottes, le céleri et les champignons. Faire cuire 10 minutes. Incorporer le concentré de tomates en brassant et poursuivre la cuisson 2 minutes. Dépiauter et désosser les cuisses de canard, puis hacher la viande. Ajouter à la casserole et continuer la cuisson 5 minutes.

3. Incorporer la farine en remuant et faire cuire 1 minute. Mélanger ensuite en remuant le brandy, le porto et le fond, puis porter à ébullition. Ajouter alors la feuille de laurier, le thym et la gelée de groseilles, puis remuer jusqu'à ce qu'elle soit dissoute. Laisser mijoter 1 heure.

4. Entre-temps, préparer la « relish ». Dans un petit récipient, combiner les myrtilles (bleuets), le sucre, le zeste et le jus de lime, le persil et le vinaigre. Écraser les myrtilles (bleuets) un peu à la fourchette en en laissant quelques-unes entières. Réserver.

5. Passer la soupe à travers un tamis dans une casserole propre. Porter à ébullition, réduire le feu, puis laisser mijoter 10 minutes. Entre-temps, dépiauter les escalopes de canard et couper la viande en lanières. Les ajouter à la soupe avec la crème et bien assaisonner. Porter à quasi-ébullition. Déposer la soupe à la louche dans des plats réchauffés au préalable. Garnir le dessus de chaque plat d'une bonne cuillerée de « relish ». Servir la soupe fumante.

Information nutritionnelle par portion : énergie 642 kcal ou 2 673 kJ ; protéines 39,2 g ; glucides 14,2 g (sucre = 13,6 g) ; gras 35 g (saturés = 17,2 g) ; cholestérol 252 mg ; calcium 83 mg ; fibres 2,8 g ; sodium 384 mg.

Potage de céleri-rave avec chou, bacon et fines herbes

Le céleri-rave, ce légume d'hiver qu'on oublie souvent d'employer malgré sa grande polyvalence, est à la base de cette excellente soupe. Sa saveur est rehaussée par une « salsa » adaptée à la saison.

4 PORTIONS

50 g (2 oz) de beurre

2 oignons hachés

675 g (1 1/2 lb) de céleri-rave, haché en gros morceaux

450 g (1 lb) de pommes de terre, hachées en gros morceaux

1,2 l (5 tasses) de bouillon de légumes

150 ml (2/3 tasse) de crème fleurette (légère)

Sel et poivre noir du moulin

Tige de thym frais pour garnir

GARNITURE DE CHOU ET DE BACON

1 petit chou de Savoie (de Milan)

50 g (1/4 tasse) de beurre

175 g (6 oz) de bacon avec le gras, sans la couenne, coupé en gros morceaux

15 ml (1 c. à soupe) de thym frais haché

15 ml (1 c. à soupe) de romarin frais haché

1. Faire fondre le beurre dans une casserole. Ajouter les oignons et les faire cuire de 4 à 5 minutes jusqu'à ce qu'ils ramollissent. Ajouter le céleri-rave. Couvrir les légumes d'une feuille de papier parchemin mouillée, puis sceller d'un couvercle et laisser cuire doucement pendant 10 minutes.

2. Retirer le papier parchemin. Incorporer les pommes de terre et le bouillon en remuant et porter à ébullition. Laisser mijoter 20 minutes. Laisser refroidir un peu, puis retirer la moitié du céleri-rave et des pommes de terre. Réserver. Mettre le reste des légumes en purée dans un robot culinaire ou un mélangeur, puis remettre dans la casserole avec le céleri-rave et les pommes de terre réservés.

3. Préparer la garniture de chou et de bacon. Enlever les feuilles extérieures du chou et déchiqueter les feuilles restantes grossièrement en jetant la tige centrale dure. Blanchir les feuilles de 2 à 3 minutes, puis les rafraîchir sous l'eau froide courante et égoutter.

4. Faire fondre le beurre dans une grande casserole et y faire cuire le bacon de 3 à 4 minutes. Ajouter le chou, le thym et le romarin, et continuer la friture de 5 à 6 minutes pour attendrir.

5. Incorporer la crème à la soupe et bien assaisonner. Réchauffer la soupe. Verser à la louche dans des plats réchauffés au préalable et déposer une bonne quantité de chou au centre de chaque plat. Garnir de thym frais.

Information nutritionnelle par portion : énergie 462 kcal ou 1 919 kJ ; protéines 12,3 g ; glucides 24,3 g (sucre = 7,3 g) ; gras 35,7 g (saturés = 20,4 g) ; cholestérol 97 mg ; calcium 144 mg ; fibres 4,3 g ; sodium 954 mg.

Bouillon classique irlandais au bacon

*Voici un repas complet sous forme de soupe. Le jarret de bacon donne de
la saveur et apporte de la viande au plat. Le bacon est toutefois souvent salé.
Prenez soin de goûter à la soupe et de n'ajouter du sel que si nécessaire.*

DE 6 À 8 PORTIONS

1 jarret de bacon d'environ 900 g (2 lb)

75 g (1/3 tasse) d'orge perlé

75 g (1/3 tasse) de lentilles

2 poireaux coupés en rondelles ou
    2 oignons coupés en dés

4 carottes coupées en dés

200 g (7 oz) de rutabaga (navet)
    coupé en dés

3 pommes de terre coupées en dés

1 petite botte de fines herbes (thym,
    persil, feuille de laurier)

1 petit chou émincé et coupé en quartiers
    ou en tranches

Sel et poivre noir du moulin

Persil frais ciselé pour garnir

Pain de blé (complet) au service

1. Faire tremper le bacon dans de l'eau froide toute une nuit. Le lendemain matin, égoutter, puis déposer dans une grande casserole et couvrir d'eau froide. Porter à ébullition et écumer. Ajouter l'orge et les lentilles. Ramener à ébullition, puis laisser mijoter 15 minutes.

2. Ajouter les légumes, un peu de poivre noir et le bouquet de fines herbes à la casserole. Ramener à ébullition, réduire le feu et laisser mijoter doucement pendant 1 heure 30 minutes ou jusqu'à ce que la viande soit tendre.

3. Retirer le jarret de bacon de la casserole à l'aide d'une cuillère à rainures. Enlever la couenne et détacher la viande de l'os en la déchiquetant. Remettre la viande dans la casserole et incorporer le chou. Jeter les fines herbes et poursuivre la cuisson un peu jusqu'à ce que le chou soit cuit à votre goût.

4. Rectifier l'assaisonnement, puis verser la soupe à la louche dans des plats. Garnir de persil et servir immédiatement avec du pain de blé (complet) frais.

Information nutritionnelle par portion : énergie 276 kcal ou 1 166 kJ ; protéines 26,6 g ; glucides 33,6 g
(sucre = 8,4 g) ; gras 4,8 g (saturés = 1,6 g) ; cholestérol 13 mg ; calcium 87 mg ; fibres 4,8 g ; sodium 765 mg.

Soupe écossaise « cock-a-leekie » aux lentilles du Puy et au thym

Cette soupe écossaise classique contient du poulet cuit dans un fond de bœuf maison. Les lentilles du Puy lui confèrent une saveur robuste.

4 PORTIONS

2 poireaux coupés en julienne de 5 cm (2 po)

115 g (1/2 tasse) de lentilles du Puy

1 feuille de laurier

Quelques tiges de thym frais

115 g (4 oz) de bœuf haché

2 poitrines de poulet désossées sans la peau

900 ml (3 3/4 tasses) de bon fond de bœuf maison

8 pruneaux coupés en lanières

Sel et poivre noir du moulin

Tiges de thym frais pour garnir

1. Porter une casserole d'eau salée à ébullition et faire cuire les poireaux de 1 à 2 minutes. Égoutter et rafraîchir sous l'eau froide courante. Égoutter de nouveau et réserver.

2. Mettre les lentilles dans une casserole avec la feuille de laurier et le thym. Couvrir d'eau froide. Porter à ébullition et laisser cuire de 25 à 30 minutes jusqu'à ce qu'elles soient tendres. Égoutter et rafraîchir sous l'eau froide.

3. Déposer le bœuf et le poulet dans une casserole et verser suffisamment de fond de bœuf pour couvrir. Porter à ébullition et laisser cuire de 15 à 20 minutes ou jusqu'à ce que la viande soit tendre. Retirer le poulet à l'aide d'une cuillère à rainures et laisser refroidir. Le couper en lanières lorsqu'il est suffisamment refroidi. Remettre dans la casserole, puis ajouter les lentilles et le fond restant. Porter à faible ébullition et rectifier l'assaisonnement au goût.

4. Répartir les poireaux et les pruneaux dans 4 plats. Recouvrir de la soupe de poulet et de lentilles, à la louche. Garnir de quelques tiges de thym et servir immédiatement.

Information nutritionnelle par portion : énergie 275 kcal ou 1 160 kJ ; protéines 32,3 g ; glucides 23,5 g (sucre = 7,4 g) ; gras 6,4 g (saturés = 2,4 g) ; cholestérol 70 mg ; calcium 47 mg ; fibres 4,1 g ; sodium 82 mg.

Velouté de bacon et de pois chiches avec croustilles de tortillas

Le beurre de paprika et de cumin rehausse la saveur de cette soupe. Les croustilles de tortillas épicées, pour leur part, proposent un contraste de textures lorsqu'on les mange avec ce potage velouté et onctueux.

DE 4 À 6 PORTIONS

400 g (2 tasses) de pois chiches séchés, mis à tremper durant la nuit
115 g (1/2 tasse) de beurre
150 g (5 oz) de pancetta ou de bacon gras haché grossièrement
2 oignons hachés fin
1 carotte hachée
1 côte de céleri hachée
15 ml (1 c. à soupe) de romarin frais
2 feuilles de laurier hachées
2 gousses d'ail coupées en deux

CROUSTILLES DE TORTILLAS

75 g (6 c. à soupe) de beurre
2,5 ml (1/2 c. à thé) de paprika doux
1,5 ml (1/4 c. à thé) de cumin moulu
175 g (6 oz) de croustilles de tortillas nature
Sel et poivre noir du moulin

1. Égoutter les pois chiches. Les déposer dans une grande casserole et les couvrir d'eau froide. Porter à ébullition et laisser mijoter 20 minutes. Égoutter et réserver.

2. Faire fondre le beurre dans une autre casserole et ajouter la pancetta. Faire frire jusqu'à dorée. Incorporer les légumes et poursuivre la cuisson de 5 à 10 minutes, jusqu'à ce qu'ils aient ramolli.

3. Ajouter les pois chiches, ainsi que le romarin, les feuilles de laurier et l'ail. Couvrir d'eau. Porter à ébullition, couvrir à moitié, réduire le feu et laisser mijoter de 45 à 60 minutes en remuant de temps à autre.

4. Laisser la soupe refroidir un peu avant de la mettre en purée lisse dans un robot culinaire ou un mélangeur. Remettre dans la casserole nettoyée et assaisonner. Réchauffer légèrement.

5. Préchauffer le four à 180 °C (350 °F). Faire fondre le beurre dans un poêlon avec le paprika et le cumin, puis en badigeonner les croustilles de tortillas. Réserver tout reste de beurre. Étaler les croustilles sur une plaque de cuisson, puis faire cuire au four pendant 5 minutes.

6. Déposer la soupe dans des plats à la louche, puis verser quelques gouttes du beurre réservé dans chacun des plats. Saupoudrer de paprika. Servir immédiatement avec les croustilles de tortillas chaudes.

Information nutritionnelle par portion : énergie 996 kcal ou 4 154 kJ ; protéines 31,4 g ; glucides 80,1 g (sucre = 6,6 g) ; gras 63,3 g (saturés = 30,1 g) ; cholestérol 126 mg ; calcium 252 mg ; fibres 14,3 g ; sodium 1 186 mg.

Soupe au miso agrémentée de porc et de légumes

Cette soupe est riche et rassasiante. Son nom japonais, « Tanuki Jiru »,
signifie « soupe de raton-laveur pour chasseurs ». Comme on ne consomme
plus le raton-laveur de nos jours, on lui substitue du porc.

4 PORTIONS

200 g (7 oz) de porc maigre désossé
1 racine de « gobo » de 15 cm (6 po)
ou 1 panais pelé
50 g (2 oz) de daikon (« mooli »), pelé
4 champignons shiitake frais
1/2 « konnyaku » ou 125 g (4 1/2 oz)
de tofu
Un peu d'huile de sésame pour frire
600 ml (2 1/2 tasses) de bouillon de
dashi reconstitué ou la même quantité
d'eau et 10 ml (2 c. à thé) de « dashi-
no-moto » (dashi instantané)
70 ml (4 1/2 c. à soupe) de miso
2 oignons verts hachés
5 ml (1 c. à thé) de graines de sésame

1. Étaler la viande sur une planche à découper en l'écrasant, puis la couper en tranches fines à l'horizontale. Couper ensuite ces tranches en sens inverse afin d'obtenir des morceaux de la taille d'un timbre. Réserver.

2. Couper le « gobo » en tranches épaisses de 1 cm (1/2 po). Le plonger dans de l'eau pour empêcher l'oxydation. Pour le panais, le couper en deux dans le sens de la longueur, puis en tranches épaisses de 1 cm (1/2 po).

3. Couper le daykon (« mooli ») en tranches épaisses de 1 cm (1/2 po), puis en dés de 1,5 cm (2/3 po). Retirer les tiges des champignons shiitake et couper les têtes en quartiers.

4. Le cas échéant, déposer le « konnyaku » dans une casserole d'eau bouillante et laisser cuire 1 minute. Égoutter et refroidir, puis couper en quartiers dans le sens de la longueur, puis en fins morceaux de 3 mm (1/8 po) d'épaisseur.

5. Faire chauffer un peu d'huile jusqu'à ce qu'elle dégage une fumée bleutée. Faire dorer le porc, puis ajouter le « konnyaku » et les légumes, sauf l'oignon vert. Une fois la viande dorée, ajouter le fond et porter à ébullition. Écumer, couvrir et laisser mijoter 15 minutes.

6. Déposer le miso dans un plat et le mélanger à 60 ml (4 c. à soupe) de fond chaud jusqu'à consistance lisse. Ajouter le tiers du miso à la soupe, goûter, puis en ajouter davantage au goût. Incorporer l'oignon vert. Servir la soupe chaude parsemée de graines de sésame.

Information nutritionnelle par portion : énergie 110 kcal ou 459 kJ ; protéines 16 g ; glucides 1,3 g (sucre = 0,9 g) ; gras 4,5 g (saturés = 1 g) ; cholestérol 32 mg ; calcium 295 mg ; fibres 0,4 g ; sodium 573 mg.

Soupe russe aux pois, au bacon et à l'orge ﹢﹢﹢

*La « grochowka » est une soupe épaisse et réconfortante. C'est la version russe
d'un potage aux pois et au jambon. On peut la servir en entrée ou comme plat principal.*

6 PORTIONS

**225 g (1 1/4 tasse) de pois cassés jaunes,
    rincés à l'eau froide**

**25 g (1/4 tasse) d'orge perlé, rincé à l'eau
    froide**

**1,75 l (7 1/2 tasses) de fond de jambon ou
    de bouillon de légumes**

50 g (2 oz) de bacon fumé avec le gras (pancetta)

25 g (2 c. à soupe) de beurre

1 oignon haché fin

2 gousses d'ail écrasées

225 g (8 oz) de céleri-rave, coupé en dés

**15 ml (1 c. à soupe) de marjolaine fraîche
    hachée**

Sel et poivre noir du moulin

Tiges de marjolaine pour garnir

Pain au service

1. Déposer les pois et l'orge dans un récipient, couvrir complètement d'eau et laisser tremper toute la nuit.

2. Le lendemain, égoutter et rincer les pois et l'orge. Les transférer dans une casserole, y verser le fond ou le bouillon et porter à ébullition. Laisser mijoter 40 minutes.

3. Faire cuire les morceaux de bacon à sec dans un poêlon pendant 5 minutes. Retirer le bacon et le réserver, en laissant le gras dans le poêlon. Ajouter le beurre, puis l'oignon et l'ail et faire cuire 5 minutes. Ajouter le céleri-rave et poursuivre la cuisson 5 minutes ou jusqu'à ce que l'oignon commence à dorer.

4. Déposer le bacon et les légumes dans la casserole contenant le fond ou le bouillon, les pois et l'orge. Couvrir et laisser mijoter 20 minutes ou jusqu'à ce que la soupe épaississe. Incorporer la marjolaine et ajouter du poivre noir au goût. Garnir de tiges de marjolaine et servir avec du pain de campagne chaud.

Information nutritionnelle par portion : énergie 189 kcal ou 799 kJ ; protéines 11 g ; glucides 25,8 g (sucre = 1,8 g) ; gras 5,5 g (saturés = 2,8 g) ; cholestérol 13 mg ; calcium 39 mg ; fibres 2,4 g ; sodium 190 mg.

Soupe aigre-douce au porc

Cette soupe à la fois aigre et sucrée est rapide à préparer. C'est le plat idéal à servir les soirs de semaine. On peut remplacer le porc par une escalope de poulet déchiquetée.

DE 6 À 8 PORTIONS

900 g (2 lb) de filets de porc, parés

1 papaye ferme coupée en deux, épépinée, pelée et râpée

3 échalotes hachées

5 gousses d'ail hachées

5 ml (1 c. à thé) de grains de poivre noir écrasés

15 ml (1 c. à soupe) de pâte de crevettes

30 ml (2 c. à soupe) d'huile végétale

1,5 l (6 1/4 tasses) de fond de poulet

1 morceau de gingembre frais de 2,5 cm (1 po), râpé

120 ml (1/2 tasse) d'eau de tamarin

15 ml (1 c. à soupe) de miel

Jus de 1 lime

2 petits piments rouges évidés et coupés en rondelles

4 oignons verts, tranchés

Sel et poivre noir du moulin

1. Tailler le porc en très fines lanières de 5 cm (2 po) de longueur. Mélanger à la papaye et réserver. Déposer l'échalote, l'ail, les grains de poivre et la pâte de crevettes dans un robot culinaire ou un mélangeur et mettre en purée.

2. Faire chauffer l'huile dans une casserole à fond épais et y faire frire la pâte de 1 à 2 minutes. Ajouter le fond et porter à ébullition. Réduire le feu. Ajouter le porc et la papaye, le gingembre et l'eau de tamarin.

3. Laisser la soupe mijoter jusqu'à ce que le porc soit tendre, de 7 à 8 minutes.

4. Incorporer le miel, le jus de lime ainsi qu'une bonne partie des piments et des oignons verts. Assaisonner au goût de sel et de poivre noir du moulin.

5. Déposer la soupe dans des plats à la louche et servir immédiatement. Garnir des échalotes et des piments restants.

Information nutritionnelle par portion : énergie 229 kcal ou 963 kJ ; protéines 32,8 g ; glucides 11,1 g (sucre = 10,9 g) ; gras 6,2 g (saturés = 2,1 g) ; cholestérol 95 mg ; calcium 37 mg ; fibres 2,3 g ; sodium 111 mg.

Soupe au porc et au riz

Bien qu'originaire de Chine, cette soupe est dorénavant répandue dans toute l'Asie du Sud-Est. Ce plat réconfortant est accompagné de quelques condiments plutôt relevés.

2 PORTIONS

900 ml (3 3/4 tasses) de bouillon de légumes
200 g (1 3/4 tasse) de riz cuit
225 g (8 oz) de porc haché
15 ml (1 c. à soupe) de sauce de poisson thaïlandaise (nam pla)
2 bulbes d'ail marinés hachés fin
1 côte de céleri coupée en petits dés
Sel et poivre noir du moulin

GARNITURE

30 ml (2 c. à soupe) d'huile de cacahuètes (d'arachides)
4 gousses d'ail tranchées mince
4 petites échalotes rouges tranchées mince

1. Pour préparer la garniture, faire chauffer l'huile de cacahuètes (d'arachides) dans un poêlon et y faire cuire l'ail et les échalotes à feu doux jusqu'à dorés. Égoutter sur un essuie-tout et réserver.

2. Verser le fond dans une grande casserole. Porter à ébullition et ajouter le riz.

3. Assaisonner le porc. Pour l'incorporer à la soupe, déposer des cuillerées de viande en frappant la cuillère sur le bord de la casserole, de manière à former de petits amas.

4. Incorporer la sauce de poisson et l'ail mariné, puis laisser mijoter doucement 10 minutes, jusqu'à ce que le porc soit cuit. Incorporer le céleri.

5. Servir la soupe dans des plats individuels réchauffés au préalable. Garnir d'ail mariné et d'échalotes. Assaisonner de poivre.

Information nutritionnelle par portion : énergie 375 kcal ou 1 574 kJ ; protéines 26,8 g ; glucides 31,1 g (sucre = 0,2 g) ; gras 16,8 g (saturés = 4 g) ; cholestérol 71 mg ; calcium 32 mg ; fibres 0,3 g ; sodium 89 mg.

Soupe dorée au chorizo et aux pois chiches

Cette soupe espagnole consistante est en soi un repas complet.
La petite saucisse chorizo non cuite est vendue dans les épiceries fines
espagnoles, mais vous pouvez utiliser de la saucisse prête à consommer.

4 PORTIONS

115 g (2/3 tasse) de pois chiches secs
45 ml (3 c. à soupe) d'huile d'olive
450 g (1 lb) de petites saucisses chorizo non cuites
1 pincée de pistils de safran
5 ml (1 c. à thé) de flocons de piment séché
6 gousses d'ail hachées fin
450 g (1 lb) de tomates hachées grossièrement
350 g (12 oz) de pommes de terre nouvelles en quartiers
2 feuilles de laurier
450 ml (presque 2 tasses) d'eau
60 ml (4 c. à soupe) de persil frais ciselé
Sel et poivre noir du moulin
30 ml (2 c. à soupe) d'huile d'olive extra-vierge pour garnir
Pain de campagne au service

1. Déposer les pois chiches dans un récipient et couvrir d'eau. Laisser tremper toute la nuit.

2. Le lendemain, égoutter et déposer dans une casserole. Couvrir d'une bonne quantité d'eau fraîche et porter à ébullition. Écumer, couvrir et laisser mijoter de 2 à 3 heures jusqu'à tendreté. Ajouter de l'eau bouillante, si nécessaire, pour que les pois chiches soient couverts en tout temps. Égoutter et réserver le liquide.

3. Déposer l'huile dans une casserole et faire frire le chorizo 5 minutes jusqu'à légèrement doré. Égoutter et réserver.

4. Faire tremper les pistils de safran dans un peu d'eau chaude. Ajouter les flocons de piment et l'ail à l'huile de la casserole et faire cuire brièvement. Incorporer le safran et son eau de trempage, les tomates, les pois chiches, les pommes de terre, le chorizo et les feuilles de laurier. Verser 450 ml (2 tasses) du liquide de cuisson et d'eau, puis assaisonner.

5. Porter à ébullition, puis laisser mijoter de 45 à 50 minutes jusqu'à ce que les pommes de terre soient tendres. Ajouter le persil et rectifier l'assaisonnement. Déposer la soupe dans des plats à la louche et arroser d'huile d'olive. Servir avec du pain.

Information nutritionnelle par portion : énergie 642 kcal ou 2 674 kJ ; protéines 21,7 g ; glucides 42,3 g (sucre = 8,1 g) ; gras 44 g (saturés = 12,5 g) ; cholestérol 68 mg ; calcium 174 mg ; fibres 6,1 g ; sodium 997 mg.

Soupe à la saucisse de Toulouse et aux haricots borlotti

*Cette soupe consistante rappelle vaguement le cassoulet des Français.
La saucisse de France et les haricots d'Italie contribuent à sa saveur
et à sa substance, le tout étant garni de chapelure dorée.*

6 PORTIONS

**250 g (1 1/4 tasse comble) de haricots
 borlotti**

115 g (4 oz) de pancetta hachée fin

**6 saucisses de Toulouse, en tranches
 épaisses**

1 gros oignon haché fin

2 gousses d'ail hachées

2 carottes en petits dés

2 poireaux hachés fin

6 tomates pelées, évidées et hachées

**30 ml (2 c. à soupe) de concentré de
 tomates**

**1,27 l (5 2/3 tasses) de bouillon de
 légumes**

**175 g (6 g) de feuilles de chou vert
 déchirées grossièrement**

25 g (2 c. à soupe) de beurre

**115 g (2 tasses) de chapelure blanche
 fraîche**

**50 g (2/3 tasse) de fromage
 parmesan râpé**

Sel et poivre noir du moulin

1. Déposer les haricots borlotti dans un récipient et les recouvrir d'eau. Laisser tremper toute la nuit.

2. Le lendemain, déposer les haricots dans une casserole. Couvrir d'une bonne quantité d'eau fraîche, porter à ébullition et laisser cuire 10 minutes. Bien égoutter. Dans une casserole bien chaude, faire cuire la pancetta à sec jusqu'à ce que le gras ait fondu et que la pancetta soit dorée. Ajouter les saucisses et faire cuire de 4 à 5 minutes jusqu'à ce qu'elles commencent à dorer.

3. Ajouter les oignons et l'ail et laisser cuire de 3 à 4 minutes pour les faire ramollir. Incorporer les haricots, les carottes, les poireaux, les tomates et le concentré de tomates, puis le bouillon de légumes. Mélanger, puis porter à ébullition et couvrir. Laisser mijoter 1 heure 15 minutes ou jusqu'à ce que les haricots soient tendres. Incorporer le chou et faire cuire de 12 à 15 minutes. Assaisonner.

4. Entre-temps, faire fondre le beurre dans un poêlon et y faire dorer la chapelure en remuant de 4 à 5 minutes, puis incorporer le parmesan. Déposer la soupe dans des plats à la louche. Parsemer du mélange de chapelure. Servir avec du pain de campagne.

Information nutritionnelle par portion : énergie 574 kcal ou 2 405 kJ ; protéines 29 g ; glucides 47,7 g (sucre = 10,2 g) ; gras 31 g (saturés = 12,5 g) ; cholestérol 75 mg ; calcium 284 mg ; fibres 10,7 g ; sodium 1 179 mg.

Soupe au bœuf et à l'orge

Cette soupe campagnarde classique est tout ce qu'il y a de plus revigorant les froides journées d'hiver. Les saveurs ressortent davantage quand la soupe est préparée à l'avance, puis réchauffée.

DE 6 À 8 PORTIONS

450 à 675 g (1 à 1 1/2 lb) de bifteck de côte, ou tout autre morceau de bœuf à ragoût avec l'os
2 gros oignons
50 g (1/4 tasse) d'orge perlé
50 g (1/4 tasse) de pois verts cassés
3 grosses carottes hachées
2 navets blancs, pelés et coupés en dés
3 côtes de céleri, hachées
1 gros poireau ou 2 moyens, lavés à l'eau froide et coupés en rondelles minces
Sel de mer et poivre noir du moulin
Persil frais ciselé au service

1. Désosser la viande et déposer les os avec la moitié de l'oignon, coupé en gros morceaux, dans une grande casserole. Couvrir d'eau froide, assaisonner et porter à ébullition. Écumer si nécessaire, puis laisser mijoter jusqu'au moment d'utiliser.

2. Entre-temps, retirer tout gras ou cartilage de la viande et la couper en petits morceaux. Hacher fin l'oignon restant. Égoutter le fond et les os, ajouter suffisamment d'eau pour obtenir 2 l (9 tasses) de liquide. Remettre dans la casserole propre avec la viande, les oignons, l'orge et les pois cassés.

3. Assaisonner et porter à ébullition. Écumer si nécessaire. Réduire le feu, couvrir et laisser mijoter 30 minutes.

4. Ajouter les légumes restants et laisser mijoter 1 heure, ou jusqu'à ce que la viande soit tendre. Vérifier l'assaisonnement.

5. Servir dans de gros plats réchauffés au préalable et parsemer généreusement de persil frais.

Information nutritionnelle par portion : énergie 167 kcal ou 705 kJ ; protéines 16 g ; glucides 21,4 g (sucre = 7,8 g) ; gras 2,6 g (saturés = 0,8 g) ; cholestérol 34 mg ; calcium 54 mg ; fibres 3,6 g ; sodium 58 mg.

Chili mexicain au bœuf avec nachos au fromage

Ce chili savoureux au bœuf regorgeant de haricots présente une garniture de tortillas écrasées et de fromage. Placez les plats sous le gril afin de faire fondre le fromage si vous le désirez.

4 PORTIONS

45 ml (3 c. à soupe) d'huile d'olive

350 g (12 oz) de bifteck de croupe, en petits morceaux

2 oignons hachés

2 gousses d'ail écrasées

2 piments verts épépinés et hachés fin

30 ml (2 c. à soupe) d'assaisonnement au chili doux

5 ml (1 c. à thé) de cumin moulu

2 feuilles de laurier

30 ml (2 c. à soupe) de concentré de tomates

900 ml (3 3/4 tasses) de fond de bœuf

2 boîtes de 400 g (14 oz) de haricots mélangés, égouttés et rincés

45 ml (3 c. à soupe) de feuilles de coriandre fraîches

Sel et poivre noir du moulin

GARNITURE

1 sac de croustilles de tortillas nature, légèrement écrasées

225 g (2 tasses) de fromage Monterey Jack ou cheddar râpé

1. Faire chauffer l'huile dans une grande casserole à feu élevé et faire dorer la viande. La retirer de la casserole à l'aide d'une cuillère à rainures.

2. Réduire le feu et ajouter les oignons, l'ail et les piments. Laisser cuire de 4 à 5 minutes pour les ramollir.

3. Ajouter l'assaisonnement au chili et le cumin moulu. Poursuivre la cuisson 2 minutes. Remettre la viande dans la casserole avec les feuilles de laurier, le concentré de tomates et le fond de bœuf. Porter à ébullition.

4. Réduire le feu, couvrir la casserole et laisser mijoter environ 45 minutes ou jusqu'à ce que la viande soit tendre.

5. Déposer le quart des haricots dans un récipient et écraser à l'aide d'un pilon à pommes de terre. Incorporer à la soupe afin de l'épaissir un peu. Ajouter les haricots restants et laisser mijoter environ 5 minutes. Assaisonner et incorporer la coriandre ciselée. Déposer la soupe à la louche dans des plats réchauffés au préalable et parsemer le dessus d'une cuillerée de miettes de tortillas recouvertes de fromage râpé. Servir immédiatement.

Information nutritionnelle par portion : énergie 749 kcal ou 3 135 kJ ; protéines 50 g ; glucides 54,1 g (sucre = 10,3 g) ; gras 37,2 g (saturés = 16,1 g) ; cholestérol 106 mg ; calcium 609 mg ; fibres 14,5 g ; sodium 1 473 mg.

Velouté au bœuf avec chou et raifort

Cette soupe d'hiver sans pareille, avec sa garniture épicée, est en soi un repas complet.
Le bifteck peut être servi saignant ou à votre point de cuisson préféré.

6 PORTIONS

900 g (2 lb) de chou rouge émincé
2 oignons hachés fin
1 grosse pomme à cuire, pelée, cœur
   enlevé et coupée en morceaux
45 ml (3 c. à soupe) de cassonade dorée
2 gousses d'ail écrasées
1,5 ml (1/4 c. à thé) de muscade râpée
2,5 ml (1/4 c. à thé) de graines de carvi
45 ml (3 c. à soupe) de vinaigre
   de vin rouge
1 l (4 tasses) de fond de bœuf
675 g (1 1/2 lb) de joint d'aloyau
30 ml (2 c. à soupe) d'huile d'olive
Sel et poivre noir du moulin
Cresson pour garnir

CRÈME DE RAIFORT

15 à 30 ml (1 à 2 c. à soupe) de raifort frais
10 ml (2 c. à thé) de vinaigre de vin
2,5 ml (1/2 c. à thé) de moutarde de Dijon
150 ml (2/3 tasse) de double-crème
   (épaisse)

1. Préchauffer le four à 150 °C (300 °F). Combiner les huit premiers ingrédients ainsi que 45 ml (3 c. à soupe) de fond. Assaisonner, puis déposer dans une casserole enduite de beurre et couvrir.

2. Faire cuire au four pendant 2 heures 30 minutes. Ajouter du fond à la casserole si nécessaire afin d'éviter qu'elle sèche. Retirer du four et réserver. Augmenter la température du four à 230 °C (450 °F).

3. Retirer presque tout le gras de l'aloyau. Attacher la viande avec une ficelle. Faire chauffer l'huile dans un poêlon. Ajouter le bœuf et faire cuire jusqu'à bien doré. Retirer, puis déposer sur une plaque allant au four et faire rôtir de 15 à 20 minutes pour une cuisson saignant-à point de 25 à 30 minutes pour du bœuf bien cuit.

4. Pour préparer la crème de raifort, râper le raifort et le mélanger au vinaigre et à la moutarde dans 45 ml (3 c. à soupe) de crème. Assaisonner. Fouetter délicatement la crème restante et la plier dans le mélange de raifort. Réfrigérer.

5. Déposer le chou à la cuillère dans une casserole et y verser le fond restant. Porter à faible ébullition. Laisser le bœuf reposer 5 minutes, puis retirer la ficelle et tailler en tranches. Déposer la soupe à la louche dans des plats et y répartir le bœuf. Mettre une petite cuillerée de garniture de raifort sur chacun d'eux et garnir de cresson.

Information nutritionnelle par portion : énergie 395 kcal ou 1 645 kJ ; protéines 29,4 g ; glucides 19,4 g (sucre = 18,5 g) ; gras 22,5 g (saturés = 11,1 g) ; cholestérol 92 mg ; calcium 104 mg ; fibres 3,8 g ;

Potage campagnard à l'agneau ✓

*Traditionnellement, on sert du pain complet beurré ou du pain au bicarbonate de soude
avec ce potage consistant, un repas en une casserole inspiré du ragoût irlandais classique.*

4 PORTIONS

15 ml (1 c. à soupe) d'huile végétale

**675 g (1 1/2 lb) de côtelettes d'agneau
désossées, gras retiré et viande
coupée en dés**

2 petits oignons en quartiers

2 poireaux coupés en rondelles épaisses

1 l (4 tasses) d'eau

**2 grosses pommes de terre coupées en
dés**

2 carottes coupées en gros morceaux

**Tige de thym frais et
un peu plus pour garnir**

15 g (1 c. à soupe) de beurre

30 ml (2 c. à soupe) de persil frais ciselé

Sel et poivre noir du moulin

**Pain de blé ou au bicarbonate
de soude au service**

1. Faire chauffer l'huile dans une grande casserole. Ajouter l'agneau par étapes et faire cuire, en tournant de temps à autre, jusqu'à complètement doré. Retirer à l'aide d'une cuillère à rainures et réserver.

2. Une fois tout l'agneau cuit, ajouter les oignons à la casserole et laisser cuire de 4 à 5 minutes, jusqu'à ce que les oignons soient dorés. Remettre l'agneau dans la casserole, puis incorporer les poireaux. Y verser l'eau et porter à ébullition. Réduire le feu, laisser mijoter environ 1 heure.

3. Ajouter les pommes de terre, les carottes et le thym, et poursuivre la cuisson pendant 40 minutes jusqu'à ce que l'agneau soit tendre. Retirer du feu et laisser reposer 5 minutes, puis dégraisser.

4. Verser le fond dans une casserole propre et y fouetter le beurre. Incorporer le persil ciselé et bien assaisonner. Remettre le liquide avec les autres ingrédients de la soupe.

5. Déposer la soupe à la louche dans des plats réchauffés au préalable. Garnir de thym et servir avec du pain.

Information nutritionnelle par portion : énergie 453 kcal ou 1 893 kJ ; protéines 36,5 g ; glucides 20,5 g
(sucre = 6,2 g) ; gras 25,6 g (saturés = 11,3 g) ; cholestérol 136 mg ; calcium 53 mg ; fibres 3,7 g ; sodium 185 mg.

Soupe au bœuf et à l'agneau ✓

Ce potage consistant regorge de viandes savoureuses, de pois chiches et de légumes. Il cuit au four à feu très doux pendant des heures. Il est possible d'ajouter un sachet de riz dans le bouillon à mi-cuisson, ce qui donne un riz pressé à texture moelleuse.

8 PORTIONS

250 g (1 tasse) de pois chiches mis à tremper toute la nuit

45 ml (3 c. à soupe) d'huile d'olive

1 oignon haché

10 gousses d'ail hachées

1 panais tranché

3 carottes tranchées

5 à 10 ml (1 à 2 c. à thé) de cumin moulu

2,5 ml (1/2 c. à thé) de curcuma moulu

15 ml (1 c. à soupe) de gingembre frais haché

2 l (8 tasses) de fond de bœuf

1 pomme de terre, pelée et coupée en gros dés

1/2 courge (grosse courgette), tranchée

1 boîte de 400 g (14 oz) de tomates, en dés

45 à 60 ml (3 à 4 c. à soupe) de lentilles vertes ou brunes

2 feuilles de laurier

250 g (9 oz) de viande salée, comme du bœuf salé

250 g (9 oz) d'agneau

1/2 botte de coriandre fraîche, ciselée

200 g (1 tasse) de riz à grains longs

1 citron coupé en quartiers, et une garniture épicée comme des piments frais hachés, au service

1. Préchauffer le four à 120 °C (250 °F). Égoutter les pois chiches.

2. Faire chauffer l'huile dans une casserole à l'épreuve du feu. Ajouter l'oignon, l'ail, le panais, les carottes, le cumin, le curcuma et le gingembre, puis faire cuire de 2 à 3 minutes. Incorporer les pois chiches, le fond, la pomme de terre, la courge, les tomates, les lentilles, les feuilles de laurier, la viande salée, l'agneau et la coriandre. Couvrir et faire cuire au four pendant 3 heures.

3. Déposer le riz dans une étamine double et attacher les coins de manière à former un petit sac, tout en laissant suffisamment d'espace pour que le riz gonfle durant la cuisson.

4. Deux heures avant la fin de la cuisson, retirer la casserole du four. Y déposer le sachet de riz en retenant l'étamine entre la casserole et le couvercle de façon que le riz reste en surface cuise à l'étuvée. Remettre la casserole au four et poursuivre la cuisson 2 heures.

5. Retirer le couvercle et le riz délicatement. Dégraisser le dessus de la soupe. Déposer la soupe à la louche dans des plats, avec une cuillerée de riz et deux morceaux de viande. Servir avec des quartiers de citron et une cuillérée de sauce piquante ou de piments frais hachés.

Information nutritionnelle par portion : énergie 385 kcal ou 1 621 kJ ; protéines 25,6 g ; glucides 48,6 g (sucre = 5,3 g) ; gras 10,8 g (saturés = 2,7 g) ; cholestérol 24 mg ; calcium 116 mg ; fibres 5,4 g ; sodium 54 mg.

Soupe à la betterave et aux légumes avec « kubbeh » ou agneau épicé ✓

La communauté juive de Cochin, aux Indes, est renommée pour sa cuisine.
On y sert cette soupe avec de belles boules de pâte jaune vif enrobant une garniture à l'agneau.

DE 6 À 8 PORTIONS

15 ml (1 c. à soupe) d'huile végétale
1/2 oignon haché fin
6 gousses d'ail
1 carotte coupée en dés
1 courgette coupée en dés
1/2 côte de céleri coupée en dés
   (facultatif)
4 ou 5 capsules de cardamome
2,5 ml (1/2 c. à thé) de poudre de cari
4 betteraves scellées à vide, cuites (non
   marinées), en petits dés et jus réservé
1 l (4 tasses) de bouillon de légumes
1 boîte de 400 g (14 oz) de tomates
   en dés
45 à 60 ml (3 à 4 c. à soupe) de feuilles de
   coriandre fraîche
2 feuilles de laurier
15 ml (1 c. à soupe) de sucre
Sel et poivre noir du moulin
15 à 30 ml (1 à 2 c. à soupe) de vinaigre de
   vin blanc au service

« KUBBEH »

2 grosses pincées de pistils de safran
15 ml (1 c. à soupe) d'eau chaude
15 ml (1 c. à soupe) d'huile végétale
1 gros oignon haché
250 g (9 oz) d'agneau haché maigre
5 ml (1 c. à thé) de vinaigre
1/2 botte de menthe fraîche hachée
115 g (1 tasse rase) de farine tout usage
2 à 3 pincées de sel
2,5 à 5 ml (1/2 à 1 c. à thé) de curcuma moulu
45 à 60 ml (3 à 4 c. à soupe) d'eau froide

PÂTE AU GINGEMBRE ET À LA CORIANDRE

4 gousses d'ail hachées
15 à 25 ml (1 à 1 1/2 c. à soupe) de gingembre
   frais haché
1/2 à 4 piments doux frais
1/2 botte de coriandre fraîche
30 ml (2 c. à soupe) de vinaigre de vin blanc
Huile d'olive extra-vierge

1. Pour la pâte, hacher l'ail, le gingembre et les piments dans un robot culinaire. Ajouter la coriandre, le vinaigre, l'huile et le sel, et mettre en purée. Réserver.

2. Pour le « kubbeh », déposer le safran et l'eau chaude dans un petit plat et laisser infuser. Entre-temps, faire chauffer l'huile dans une casserole et y faire cuire l'oignon. Déposer l'oignon et l'eau de safran dans le robot culinaire et mélanger. Ajouter l'agneau, assaisonner et mélanger. Incorporer le vinaigre et la menthe, puis réfrigérer.

3. Préparer la pâte en déposant la farine, le sel et le curcuma moulu dans un robot culinaire. Ajouter l'eau graduellement tout en travaillant la farine jusqu'à la formation d'une pâte collante. Pétrir la pâte sur une surface enfarinée environ 5 minutes, l'envelopper d'une pellicule plastique, puis laisser reposer 30 minutes.

4. Diviser la pâte en 10 à 15 morceaux et former des boules. À l'aide d'une machine à pâtes ou d'un rouleau à pâtisserie, aplatir chaque boule en rondelles très minces. Déposer les rondelles sur une surface bien enfarinée. Mettre une cuillerée comble de garniture au centre de chaque rondelle. Humecter les bords et bien sceller. Réserver sur une surface enfarinée.

5. Pour préparer la soupe, faire chauffer l'huile. Ajouter l'oignon et le faire ramollir. Incorporer ensuite la moitié de l'ail, la carotte, la courgette, le céleri, la cardamome et la poudre de cari, et laisser cuire de 2 à 3 minutes. Ajouter 3 des betteraves hachées, le bouillon, les tomates, la coriandre, les feuilles de laurier et le sucre. Laisser mijoter 20 minutes. Ajouter ensuite l'autre betterave, le jus et l'ail. Assaisonner et réserver jusqu'au moment de servir.

6. Pour servir, réchauffer la soupe. Faire pocher les boules de pâte dans une grande casserole d'eau bouillante salée pendant environ 4 minutes. Lorsqu'elles sont cuites, les retirer à l'aide d'une cuillère à rainures et réserver au chaud sur une assiette. Déposer la soupe à la louche dans les plats, ajouter un trait de vinaigre ainsi que quelques boules de pâte et une cuillerée comble de pâte au gingembre. Servir immédiatement.

Information nutritionnelle par portion : énergie 351 kcal ou 1 462 kJ ; protéines 24 g ; glucides 7,6 g (sucre = 1,9 g) ; gras 23,9 g (saturés = 6,9 g) ; cholestérol 78 mg ; calcium 619 mg ; fibres 1,5 g ; sodium 624 mg.

Bouillon à l'orge avec jarret d'agneau ✓

De succulents jarrets d'agneau, piqués d'ail et de romarin, font un excellent repas lorsqu'ils sont servis avec ce bouillon regorgeant de légumes, d'orge et de tomates.

4 PORTIONS

4 petits jarrets d'agneau

4 gousses d'ail effilées

1 poignée de tiges de romarin

30 ml (2 c. à soupe) d'huile d'olive

2 carottes coupées en dés

2 côtes de céleri coupées en dés

1 gros oignon haché

1 feuille de laurier

Tiges de thym frais

1,2 l (5 tasses) de fond d'agneau

50 g (2 oz) d'orge perlé

450 g (1 lb) de tomates, pelées et coupées
en gros morceaux

Zeste de 1 gros citron

30 ml (2 c. à soupe) de persil frais

Sel et poivre noir du moulin

1. Préchauffer le four à 150 °C (300 °F). Faire de petites entailles dans les jarrets d'agneau, et y insérer l'ail et le romarin.

2. Faire chauffer l'huile dans une casserole ignifuge et y faire dorer les jarrets, deux à la fois. Retirer et réserver. Ajouter les carottes, le céleri et l'oignon par étapes et faire dorer. Déposer tous les légumes dans la casserole, avec la feuille de laurier et le thym. Couvrir de fond, ajouter les jarrets et mettre au four pendant 2 heures.

3. Entre-temps, verser le reste du bouillon dans une casserole. Ajouter l'orge perlé, porter à ébullition, puis laisser mijoter 1 heure ou jusqu'à ce que l'orge soit tendre.

4. Retirer les jarrets d'agneau de la casserole à l'aide d'une cuillère à rainures. Enlever le gras à la surface des légumes, puis les ajouter au bouillon. Incorporer les tomates, le zeste de citron et le persil. Porter de nouveau la soupe à ébullition, et laisser mijoter 5 minutes. Ajouter les jarrets pour les réchauffer, puis assaisonner. Déposer un jarret dans chaque plat et verser le bouillon sur la viande à la louche. Servir immédiatement.

Information nutritionnelle par portion : énergie 287 kcal ou 1 199 kJ ; protéines 22,5 g ; glucides 19,5 g (sucre = 7,6 g) ; gras 13,7 g (saturés = 0,9 g) ; cholestérol 0 mg ; calcium 35 mg ; fibres 2,3 g ; sodium 24 mg.

Soupe d'agneau indienne au riz et à la noix de coco ✓

Cette soupe regorgeant de viande est épaissie de riz à grains longs. L'assaisonnement au cumin et aux graines de coriandre tire son inspiration de la soupe indienne classique « mulligatawny ».

6 PORTIONS

2 oignons hachés

6 gousses d'ail écrasées

1 morceau de 5 ml (2 po)
   de gingembre, râpé

90 ml (6 c. à soupe) d'huile d'olive

30 ml (2 c. à soupe) de graines
   de pavot noires

5 ml (1 c. à thé) de graines de cumin

5 ml (1 c. à thé) de graines de coriandre

2,5 ml (1/2 c. à thé) de curcuma moulu

450 g (1 lb) de côtelettes d'agneau
   désossées, gras enlevé, ·
   et coupées en bouchées

1,5 ml (1/4 c. à thé) de poivre de Cayenne

1,2 l (5 tasses) de fond d'agneau

50 g (1/3 tasse comble) de riz
   à grains longs

30 ml (2 c. à soupe) de jus de citron

60 ml (4 c. à soupe) de lait
   de noix de coco

Sel et poivre noir du moulin

Brins de coriandre fraîche et flocons de
   noix de coco grillés pour garnir

1. Former une pâte avec l'oignon, l'ail, le gingembre et 15 ml (1 c. à soupe) d'huile d'olive à l'aide d'un robot culinaire ou d'un mélangeur. Réserver.

2. Faire chauffer une casserole. Y faire griller le pavot, le cumin et les graines de coriandre quelques secondes. Broyer les graines en poudre. Incorporer le curcuma et réserver.

3. Faire chauffer le reste de l'huile dans une autre casserole. Faire dorer l'agneau de tous les côtés de 4 à 5 minutes. Retirer la viande et réserver.

4. Ajouter la pâte d'oignon, d'ail et de gingembre et faire cuire de 1 à 2 minutes. Incorporer les épices moulues et laisser cuire 1 minute. Remettre la viande dans la casserole et ajouter le poivre de Cayenne, le fond et les assaisonnements. Porter à ébullition, couvrir et laisser mijoter de 30 à 60 minutes jusqu'à ce que l'agneau soit tendre.

5. Incorporer le riz, puis couvrir et laisser mijoter 15 minutes de plus. Ajouter le jus de citron et le lait de noix de coco, et poursuivre la cuisson 2 minutes. Déposer la soupe dans des plats à la louche. Garnir de coriandre et de flocons de noix de coco grillés. Servir chaud.

Information nutritionnelle par portion : énergie 249 kcal ou 1 036 kJ ; protéines 15,8 g ; glucides 7,5 g (sucre = 0,8 g) ; gras 17,3 g (saturés = 4,5 g) ; cholestérol 56 mg ; calcium 14 mg ; fibres 0,2 g ; sodium 64 mg.

« Harira » marocain +++

*Il existe de nombreuses versions de cette soupe marocaine
traditionnelle qui constitue un repas regorgeant de viande et de légumes.
Certains aiment y ajouter des tranches de citron et du jus de citron.*

4 PORTIONS

450 g (1 lb) de tomates savoureuses *ilote 2gon*

225 g (8 oz) d'agneau en morceaux

2,5 (1/2 c. à thé) de curcuma moulu

2,5 (1/2 c. à thé) de cannelle moulue

25 g (2 c. à soupe) de beurre

60 ml (4 c. à soupe) de coriandre
   fraîche hachée

30 ml (2 c. à soupe) de persil frais haché

1 oignon haché

50 g (1/4 tasse) de lentilles rouges
   cassées *(vertes)*

75 g (1/2 tasse) de pois chiches *(en boîte)*
   secs, mis à tremper toute
   la nuit dans de l'eau froide

600 ml (2 1/2 tasses) d'eau *Bouillon poulet*

4 petits oignons perlés ou échalotes

25 g (1/4 tasse) de nouilles minces

Sel et poivre noir du moulin

Coriandre fraîche hachée, tranches de
   citron et cannelle moulue pour garnir

1. Plonger les tomates dans de l'eau bouillante pendant 30 secondes, puis les rafraîchir à l'eau froide. Peler les tomates, les couper en quartiers et les épépiner. Hacher la pulpe grossièrement.

2. Déposer l'agneau, le curcuma moulu, la cannelle, le beurre, la coriandre fraîche, le persil et l'oignon dans une grande casserole. Faire cuire à feu moyen en remuant pendant 5 minutes. Ajouter les tomates hachées et poursuivre la cuisson 10 minutes, en remuant fréquemment.

3. Rincer les lentilles à l'eau courante et bien égoutter. Les ajouter à la casserole ainsi que les pois chiches égouttés et l'eau. Assaisonner. Porter à ébullition, réduire le feu, couvrir et laisser mijoter doucement pendant 1 heure 30 minutes.

4. Incorporer les oignons ou les échalotes. Laisser cuire 25 minutes. Ajouter les pâtes et poursuivre la cuisson 5 minutes. Déposer dans des plats à la louche et garnir de coriandre fraîche, de tranches de citron et de cannelle.

Information nutritionnelle par portion : énergie 294 kcal ou 1 234 kJ ; protéines 19,7 g ; glucides 25,2 g (sucre = 4,9 g) ; gras 13,5 g (saturés = 6,6 g) ; cholestérol 58 mg ; calcium 55 mg ; fibres 4 g ; sodium 119 mg.

Guide pratique

Dans ce chapitre, vous verrez comment choisir les meilleurs ingrédients pour vos soupes et les techniques appropriées pour les apprêter. Vous y trouverez de nombreux trucs utiles pour la préparation des fonds et des bouillons, une description des instruments de cuisine essentiels de même que des idées de garnitures qui vous permettront de donner à vos plats la touche finale parfaite.

Légumes

Il y a des légumes de toutes les tailles, formes, couleurs et saveurs. Ils conviennent parfaitement à la préparation de soupes savoureuses. Les légumes contiennent des vitamines et des minéraux essentiels et sont indispensables à une alimentation équilibrée. Plus ils sont frais, plus leur teneur en éléments nutritifs est élevée et plus ils donnent des fonds et bouillons de qualité. Les légumes sans pesticides sont également de plus en plus répandus.

Carottes

Les meilleures carottes ne se trouvent pas qu'en hiver. L'été apporte sa récolte de jeunes carottes minces et sucrées, souvent vendues avec leurs feuilles. Choisissez-les minces et lisses; plus elles sont petites, plus elles sont sucrées. Coupez-les juste avant l'utilisation afin de préserver leurs éléments nutritifs.

Betteraves

La betterave est l'ingrédient principal du « bortsch » russe. En outre, elle se marie bien avec d'autres saveurs, notamment dans la Soupe à la betterave et aux légumes avec « kubbeh » ou agneau épicé. Si vous la faites cuire entière, lavez sa pelure sans la blesser, sinon elle perdra sa

Ci-dessus : *le céleri-rave présente un gros tubercule à chair blanche recouvert d'une pelure brune.*

couleur et ses nutriments. Coupez les tiges à environ 2,5 cm (1 po) de la base. Les petites betteraves sont plus sucrées et plus tendres que les grosses.

Céleri-rave

Le céleri-rave est un légume-racine tout comme certains types de céleri. Il a le goût du céleri, en plus subtil. Cuit, il ressemble beaucoup à la pomme de terre.

Rutabaga

Le rutabaga est un globe à la chair de couleur orangée. Sa saveur est sucrée et délicate. Retirez sa pelure épaisse et préparez-le comme les autres légumes racines. Dans les soupes, on le pèle et on le coupe en dés afin de le faire cuire dans un fond avec d'autres légumes. On peut le hacher fin dans les soupes aux légumes consistantes ou le faire cuire dans un fond avec d'autres ingrédients avant de mettre le tout en purée.

Ci-dessus : *les betteraves ajoutent une saveur du terroir unique à toute soupe et leur couleur rouge rubis lui donne de l'éclat.*

Ci-dessus : *les carottes confèrent un goût sucré aux soupes en plus de les colorer. Choisir des carottes lisses.*

Panais

Ces légumes-racines d'hiver ont une saveur sucrée et crémeuse. Ils conviennent à plusieurs soupes. De préférence, achetez les panais après le premier gel, car le froid transforme leur amidon en sucre, ce qui accentue leur goût sucré. Brossez-les bien et ne les pelez que si leur pelure est épaisse. Évitez les gros panais, qui peuvent être fibreux.

Ci-dessus : *les panais sont meilleurs l'hiver. Ils font de délicieuses soupes consistantes et réconfortantes.*

Navet

Ce légume possède de nombreuses propriétés favorables à la santé. Les petits navets qui ont toujours leurs feuilles sont particulièrement nourrissants. Leur chair ivoire croquante, sous une pelure teintée de blanc, de vert et de rose, a une saveur plus ou moins poivrée selon leur taille et le moment de la récolte. Les navets ajoutent saveur et texture aux soupes à base de légumes.

Artichaut de Jérusalem

Ce petit tubercule possède une saveur sucrée de noisette. Le peler peut s'avérer une tâche délicate. En général, il suffit de le brosser et de le parer. Il se conserve au réfrigérateur jusqu'à une semaine. Utilisez-le comme les pommes de terre afin d'obtenir des soupes savoureuses et onctueuses.

Chou-fleur

Choisissez un chou-fleur dont les fleurons sont entourés de grandes feuilles vert vif. Il existe des variétés de diverses couleurs. Le chou-fleur, cru ou cuit, a une saveur douce. Il est délicieux combiné à d'autres ingrédients, notamment dans le Velouté de chou-fleur au cari ou dans une Crème de chou-fleur.

Chou

Il existe de nombreuses variétés de chou. Le plus courant dans les soupes est le chou de Savoie (de Milan) caractérisé par des feuilles épaisses et frisées à saveur prononcée. Les choux blancs et rouges fermes conviennent aussi aux soupes, car ils conservent leur forme.

Pommes de terre

Il y a des milliers de variétés de pommes de terre et chacune a une méthode de cuisson appropriée. Les principales variétés, comme l'« Estima » et la « Maris Piper », de même que les patates douces (celles à chair orangée sont plus savoureuses que celles à chair jaune) sont idéales dans les soupes. Les pommes de terre sont aussi de bons épaississants. Jetez toute pomme de terre tachetée de vert. Les vitamines et les minéraux se trouvent dans la pelure; il est donc avantageux de consommer cette dernière.

Ci-dessus : *le chou-fleur se mange cru ou cuit.*

Brocoli

Ce légume nourrissant devrait faire partie de l'alimentation de tout le monde. Il en existe deux variétés : le brocoli rouge à longue tige couronnée de fleurons délicats et la variété « calabrese », d'un vert prononcé, avec ses tiges épaisses et ses fleurons compacts. Optez pour du brocoli de couleur vive et à tiges épaisses. Des fleurons jaunes, des tiges molles et une odeur forte indiquent que le légume est trop mûr. Le brocoli donne du goût, de la texture et de la couleur aux soupes.

Séparez les tiges, puis découpez-les en fleurons. La tige des jeunes brocolis peut être coupée en rondelles et ajoutée la soupe. Souvent, on met le brocoli en purée après sa cuisson pour obtenir une soupe vert foncé. Le brocoli est un légume polyvalent qui se combine bien avec d'autres ingrédients.

Épinards

Ce feuillu vert foncé est une excellente source d'antioxydants efficaces contre le cancer. Il contient quatre fois plus de bêta-carotène que le brocoli. Les épinards sont aussi riches en fibres, ce qui peut aider à réduire les taux élevés du mauvais cholestérol, ou LDL, réduisant ainsi les risques de maladies du cœur et d'accidents vasculaires cérébraux. Ils contiennent du fer, mais moins que ce qu'on croyait par le passé. Ils contiennent aussi de l'acide oxalique, qui inhibe l'absorption du fer et du calcium par l'organisme. En revanche, la consommation d'épinards avec des aliments riches en vitamine C en augmente l'absorption. Les épinards et les autres légumes feuillus verts sont à leur meilleur déchiquetés dans les soupes ou mis en purée afin de créer des plats nutritifs d'un beau vert foncé. Tracez-y une spirale de crème juste avant de servir.

Courgettes

Parmi les courges, la courgette est le légume d'été le plus répandu. Sa saveur est plus prononcée en début de saison. Les courgettes petites ou régulières font d'excellentes soupes, seules ou combinées avec d'autres ingrédients comme la menthe.

Concombres

Ils sont juteux et rafraîchissants, et leur texture est croquante. Il existe de nombreux types de concombres, soit la variété anglaise ou européenne, la variété américaine, le cornichon gherkin ou kirby, entre autres. Bien qu'il soit surtout utilisé en salade, on peut faire cuire le concombre. Il est aussi savoureux dans les soupes froides comme dans le Velouté froid de concombres et de crevettes.

À droite : *le maïs est délicieux dans les soupes à base de poisson comme les « chaudrées ».*

Maïs

Il existe diverses variétés de maïs. Les jeunes épis (miniatures) sont cueillis avant leur maturité, puis cuits et mangés en entier. Le maïs en épis, régulier ou miniature, ainsi que le maïs en grains en boîte ou surgelé, se prêtent à de nombreuses recettes de soupes originales comme le « Chowder » de maïs et de piment rouge.

Citrouilles et courges

Elles sont originaires d'Amérique et entrent dans la préparation des mets traditionnels servis à l'Action de grâce. La chair des petites citrouilles est plus sucrée et moins fibreuse que celle des plus grosses. La citrouille est savoureuse en soupe. La courge, notamment la courge musquée, peut remplacer la citrouille.

Fenouil

Le fenouil de Florence est apparenté aux fines herbes et aux épices du même nom. Les bulbes dodus ont une texture semblable à celle du céleri et sont couronnés d'une touffe comestible, les frondes. La douce saveur du bulbe de fenouil rappelle celle de l'anis, qui est plus marquée lorsqu'il est cru. La cuisson atténue son goût, lui laissant une saveur exquise, douce et subtile.

Tomates

Il y a des douzaines de variétés de tomates, de couleurs, de formes et de tailles variées. Les tomates italiennes ovales se prêtent merveilleusement bien à divers types de cuisson, y compris les soupes,

À droite : *la préparation d'une soupe est une bonne façon d'utiliser les courgettes cueillies en abondance à l'automne.*

Ci-dessous : *les concombres frais et croquants sont merveilleux en soupe froide.*

Ci-dessus : *les piments forts rehaussent la saveur des soupes. Certains piments sont très relevés.*

grâce à leur saveur riche et parce qu'elles présentent beaucoup plus de chair que de graines. Elles doivent cependant être très mûres. Les tomates du commerce sont souvent fades et insipides, car elles sont cueillies trop tôt. Les tomates de vigne et les tomates cerise, ainsi que les tomates « beefsteak », ont un goût prononcé idéal dans les soupes. Les tomates séchées, pour leur part, ajoutent de l'intensité aux soupes. Si vous faites cuire les tomates avec leur pelure, vous devrez peut-être mettre la soupe en purée, puis la passer au tamis afin de retirer la pelure restante et les graines.

Poivrons

En dépit de leur nom, les poivrons n'ont rien en commun avec le poivre, une épice servant d'assaisonnement. Les poivrons sont de la famille des Capsicum et ont une saveur plutôt douce. Ils confèrent une saveur exquise et de la couleur aux soupes.

Piments forts

Originaire de l'Amérique, ce membre de la famille des Capsicum est grandement utilisé dans plusieurs traditions culinaires, notamment au Mexique, en Inde, en Thaïlande ainsi qu'en Amérique du Sud et en Afrique. Il existe plus de 200 variétés de piments qui peuvent donner beaucoup de piquant aux soupes.

Avocat

L'avocat est un fruit et non un légume. Il en existe quatre espèces principales, notamment la variété Hass, un petit fruit pourpre ou noir à pelure corsée, les variétés Ettinger et Fuerte, qui ont la forme d'une poire et dont la pelure est verte et lisse, ainsi que la variété Nabal, de forme ronde. La variété Hass possède une chair allant du vert pâle au jaune. Les avocats font des soupes alléchantes comme la Soupe froide à l'avocat et au cumin.

À gauche : *les poivrons rouges, verts, orange et jaunes donne une couleur vibrante aux soupes.*

Comment peler et évider une tomate

Les graines de la tomate peuvent rendre la soupe âcre. Le fait de retirer les graines et la pelure des tomates permet d'obtenir une texture plus veloutée, ce qui est préférable pour bon nombre de soupes.

1. Plonger la tomate dans un récipient d'eau bouillante et laisser reposer 30 secondes. Faire de petites entailles à la base de chaque tomate afin de les peler plus facilement.

2. Retirer la tomate de l'eau bouillante à l'aide d'une cuillère à rainures et la rincer à l'eau froide, puis enlever la pelure.

3. Couper la tomate en deux, enlever les graines et retirer le cœur à l'aide d'un couteau. Couper la chair en dés ou en gros morceaux selon la recette.

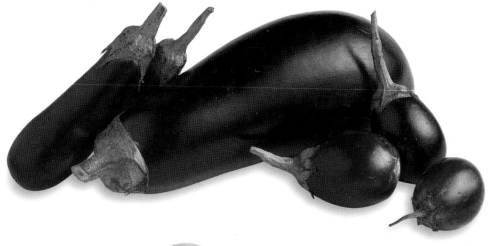

Aubergines

La cuisine occidentale fait grand usage de l'aubergine à la pelure pourpre et lustrée, mais on a d'abord utilisé le terme « aubergine » pour désigner la variété blanche, en forme d'œuf. Il existe aussi une aubergine vert vif, utilisée surtout dans la cuisine asiatique, et une aubergine chinoise violette.

Céleri

Ce légume a une saveur robuste. Il est excellent pour la préparation des soupes et des fonds. Son goût marqué et astringent ainsi que sa texture croquante le distinguent des autres ingrédients. Achetez un céleri dont les feuilles sont fraîches et qui a toutes ses côtes extérieures bien fixées.

Ci-dessus : *les aubergines, les oignons rouges, les échalotes, l'oignon blanc et les oignons verts sont d'excellents ingrédients de soupes.*

Oignons

Toutes les cuisines du monde font appel à l'oignon, peu importe la forme. L'oignon constitue un assaisonnement essentiel et apporte tout un éventail de parfums, du sucré de l'oignon rouge et du piquant de l'oignon blanc jusqu'à la fraîcheur et à la légèreté de l'oignon vert. Les oignons perlés et les échalotes sont les « bébés » de la famille. Les échalotes et les poireaux peuvent remplacer l'oignon dans bon nombre de recettes, alors que l'oignon vert peut servir à parfumer ou à garnir un plat. Les oignons se conserveront de un à deux mois dans un endroit sombre et frais.

Nettoyage du poireau

Il faut laver les poireaux avec soin afin d'éliminer la poussière, le sable ou la terre qui seraient coincés entre ses couches de feuilles, en particulier si vous le cultivez ou que vous l'achetez au marché de légumes biologiques. La méthode présentée ci-dessous permet d'éliminer efficacement toutes les particules indésirables.

1. Couper la tête de la racine, puis l'extrémité des feuilles; jeter. Retirer les feuilles extérieures abîmées.

2. Couper la partie verte du poireau en quatre et bien rincer le poireau à l'eau courante, en soulevant les feuilles afin d'en retirer toute saleté. Trancher ou laisser entier selon les indications de la recette.

Ci-dessus : *l'ail est un ingrédient des soupes méditerranéennes et de la rouille, une mayonnaise à base d'ail.*

Ail

L'ail est un ingrédient employé dans toutes les cuisines. Il existe de nombreuses variétés de ce bulbe. La fine pelure externe peut être blanche, rose ou violette. La couleur n'influe pas sur le goût, mais la grosse tête violette fait un bel effet dans une cuisine. L'ail conservé dans un endroit sec et frais, mais pas le réfrigérateur, se conserve jusqu'à huit semaines.

Poireaux

Ces légumes sont connus depuis des milliers d'années, comme l'oignon et l'ail. Le poireau est très polyvalent, et sa saveur est douce et subtile. Il est délicieux en soupe, rehaussant la saveur et la texture de nombreuses recettes. Il se combine admirablement bien à la pomme de terre dans la vichyssoise, qu'on peut servir chaude ou froide au début du repas. Les poireaux des fermes commerciales peuvent atteindre environ 25 cm (10 po) de longueur, bien que l'on puisse trouver des poireaux miniatures à saveur douce et délicate qui conviennent aussi aux soupes.

Ci-dessus : *les champignons shiitake sont employés dans un bon nombre de soupes japonaises.*

Roquette ou arugula

Même si on la connaît surtout comme ingrédient de salades, la roquette ou l'arugula est une verdure au goût poivré relevé qui rehausse la couleur et la saveur des soupes.

Oseille

L'oseille est une herbe qui entre aussi dans les salades. Elle a un goût relevé et rafraîchissant. Dans les soupes, elle se marie bien à d'autres fines herbes et à des verdures. Les feuilles sont à leur meilleur lorsqu'elles sont très fraîches, car leur durée de conservation est courte. Évitez les feuilles flétries ou décolorées et conservez au réfrigérateur trois ou quatre jours.

Champignons

La variété de champignons la plus courante est une variété qu'on peut cueillir à divers stades de maturité. Le bouton est au début de sa croissance; il présente une tête blanche et a un goût plutôt léger, tandis que le champignon de taille moyenne est un peu plus mature. Les champignons portobellos plats sont les plus gros des champignons et ont des spores ouvertes et foncées en dessous de leur chapeau. Leur saveur est également plus prononcée. Les champignons sont un ingrédient utile dans bon nombre de soupes, puisqu'ils confèrent de la saveur, de la texture ainsi que de la couleur (surtout les champignons bruns comme les creminis ou les portobellos). On trouve maintenant plusieurs variétés de champignons sauvages dans le commerce, notamment les pleurotes et les shiitake. Les champignons sauvages frais ou séchés font un ajout délicieux à certaines recettes de soupe.

Ci-dessus : *l'oseille fraîche confère un goût relevé et astringent aux soupes.*

Ci-dessus : *la roquette donne une saveur poivrée aux soupes.*

Légumineuses

Les légumes secs, les lentilles et les pois procurent tout un éventail de saveurs et de texture, et s'intègrent bien aux soupes. Faibles en gras et riches en glucides complexes, en vitamines et en minéraux, les légumineuses procurent aussi une importante source de protéines aux végétariens.

Légumes secs

Les grains comestibles des plantes appartenant à la famille des légumineuses regorgent de protéines, de vitamines, de minéraux et de fibres, en plus d'être faibles en gras. Pour le cuisinier, leur capacité d'absorber les différentes saveurs des autres ingrédients en fait l'ingrédient de base d'un nombre infini de mets. Bon nombre d'entre eux conviennent à la préparation des soupes.

Les légumineuses se conservent jusqu'à un an, mais elles durcissent avec le temps. Achetez-les donc d'un commerce qui fait une rotation fréquente de ses légumineuses et les stocke dans des contenants hermétiques dans un endroit sec et frais.

Féveroles

Les féveroles sont habituellement consommées fraîches. Lorsqu'elles sèchent, leur couleur passe du vert au brun, ce qui les rend plus difficiles à reconnaître. Leur peau peut être quelque peu dure et caoutchouteuse. Certaines personnes préfèrent la retirer après la cuisson. Les féveroles donnent une bonne saveur aux soupes. Essayez le Potage aux féveroles de type minestrone.

Haricots blancs ou cannellini

Ces petits haricots en forme de rein sont souvent appelés « haricots blancs ». Leur texture est molle et onctueuse après leur cuisson, et ils sont très populaires dans la cuisine italienne. Ils peuvent être substitués aux haricots blancs ronds et agrémentent bien les soupes.

Haricots rouges

Ces haricots en forme de rein sont d'un rouge brun foncé et conservent leur forme et leur couleur à la cuisson. Ils sont savoureux dans les soupes et d'autres plats. Crus, ils contiennent une substance indigeste pouvant causer une intoxication alimentaire si ses toxines ne sont pas éliminées. Il est donc essentiel de les faire bouillir rapidement pendant 15 minutes avant de les consommer.

Haricots de soja

Ces petits haricots ronds possèdent toutes les propriétés nutritives des aliments du règne animal, mais sans leurs inconvénients. Ils présentent une grande densité et il faut donc les mettre à tremper au moins 12 heures avant leur cuisson. Ils se marient bien aux saveurs corsées comme celles de l'ail, des fines herbes et des épices. En outre, ils ajoutent une grande valeur nutritive aux soupes. Les haricots de soja servent également à la production du tofu, du tempeh, de la protéine végétale texturée, du lait de soja (un substitut au lait animal), ainsi qu'à différentes versions de sauce de soja. Le tofu est un ingrédient courant des soupes asiatiques.

Pois chiches

Les pois chiches sont robustes et consistants. Ils ont une saveur de noisette et une texture onctueuse. Ils doivent cuire longtemps. Ils sont très utilisés dans la cuisine du Moyen Orient, notamment dans la Soupe épicée nord-africaine.

Ci-dessous et de gauche à droite : *les féveroles séchées peuvent servir lorsque les féveroles fraîches ne sont pas en saison. La couleur des haricots de soja varie de jaune pâle à brun ou noir. Les haricots séchés doivent tous être mis à tremper avant la cuisson. Le temps de trempage varie selon le type de haricots.*

Cuisson des haricots

La plupart des haricots, sauf les « aduki » et les « mung », requièrent un trempage de 5 à 6 heures, ou toute une nuit, suivi d'une cuisson de 10 à 15 minutes à l'eau bouillante afin d'éliminer toutes leurs toxines. Ces étapes sont essentielles dans le cas des haricots rouges, qui pourraient autrement causer une intoxication alimentaire.

1. Étaler les haricots sur une surface pâle, puis retirer tous les petits cailloux ou les haricots endommagés. Déposer les haricots dans un tamis et bien rincer à l'eau froide courante.

2. Déposer les haricots dans un récipient en prévoyant de l'espace pour qu'ils gonflent. Couvrir d'eau froide, puis faire tremper toute la nuit, ou de 8 à 12 heures. Égoutter et rincer.

3. Placer ensuite les haricots dans une grande casserole et les couvrir d'eau froide fraîche. Porter à ébullition rapidement et faire cuire de 10 à 15 minutes. Réduire le feu et laisser mijoter de 1 heure à 1 heure 30 minutes jusqu'à ce qu'ils soient tendres. Égoutter et apprêter au goût.

Lentilles et pois

Ce sont des légumineuses parmi les plus anciennes. Les lentilles sont dures même lorsqu'elles sont fraîches, donc on les vend toujours séchées. Contrairement à d'autres légumineuses comme les pois, elles ne requièrent aucun trempage avant la cuisson. N'utilisez pas de nouvelles lentilles avec de plus vieilles, car ces dernières seront plus dures, ce qui allongera leur temps de cuisson.

Lentilles rouges

Les lentilles corail ou orangées sont aussi appelées « lentilles rouges » et parfois « lentilles égyptiennes ». Ce sont les plus populaires. Elles cuisent en 20 minutes et se défont en purée. Elles sont idéales pour épaissir les soupes. Essayez des recettes créatives comme le Potage de lentilles, une soupe juive traditionnelle, ou le Potage aux lentilles rouges avec oignon.

Lentilles du Puy

Ces lentilles ont d'abord été cultivées au Puy, en France. Petites et d'un bleu-vert foncé, elles seraient supérieures aux autres variétés de lentilles en raison de leur goût poivré unique. Les lentilles du Puy gardent leur forme à la cuisson et sont délicieuses dans les soupes.

Ci-dessus : *les lentilles rouges et les lentilles du Puy sont d'excellents épaississants pour les soupes.*

Lentilles vertes et brunes

Aussi appelées « lentilles continentales », elles gardent leur forme circulaire à la cuisson. Elles doivent cuire plus longtemps que les lentilles cassées, soit de 40 à 45 minutes. Elles sont idéales dans les soupes réconfortantes.

Pois

Les pois secs sont des pois des champs et non des pois potagers, qu'on consomme frais. Contrairement aux lentilles, les pois sont d'abord tendres, puis mis à sécher. On peut se les procurer entiers ou cassés; ces derniers ont une saveur plus douce et cuisent plus rapidement. Comme les lentilles cassées, les pois cassés ne gardent pas leur forme à la cuisson, ce qui les rend parfait pour les soupes. La cuisson est d'environ 45 minutes. Les pois secs doivent tremper toute une nuit avant l'utilisation.

Viandes et volaille

Riche en protéines de grande qualité, la viande est un excellent aliment utilisé dans de nombreuses recettes de soupe. La plupart des bouchers et le personnel des comptoirs de viande des supermarchés se feront un plaisir de vous renseigner sur les coupes qui conviennent le mieux à toutes vos recettes, y compris les soupes.

Poulet

Le fond de poulet maison constitue une base idéale pour toute soupe savoureuse et nutritive. Dans la mesure du possible, optez pour du poulet élevé en liberté, du poulet nourri de grains de maïs ou encore des poules biologiques. Vous obtiendrez une saveur supérieure. La poitrine, les hauts de cuisse et les pilons conviennent bien aux soupes. Les escalopes et les hauts de cuisse désossés sont de bons achats.

Canard

Le canard a peu de viande, surtout sur les cuisses. Procurez-vous donc un canard plus gros ou optez pour des escalopes. Bien que

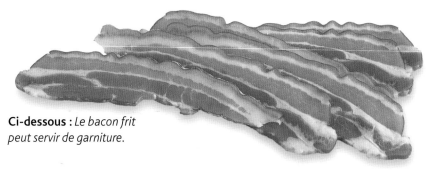

Ci-dessous : *Le bacon frit peut servir de garniture.*

plus maigre que dans le passé, la viande de canard est tout de même plutôt grasse. Éliminez donc le plus de gras possible avant sa cuisson. Le canard se marie bien à la plupart des fruits acides comme les oranges ou les cerises. Par exemple, le Velouté de canard agrémenté d'une « relish » aux myrtilles (bleuets) est délicieux. Le canard maigre peut remplacer le poulet dans certaines recettes de soupes.

Dinde

Pourquoi ne servir la dinde qu'à Noël ? De nos jours, on peut se procurer de petites dindes idéales pour les soupes. Substituez de la dinde au poulet dans des recettes comme la Soupe au poulet, au poireau et au céleri ou la Soupe écossaise « cock-a-leekie » aux lentilles du Puy et au thym.

Bacon

Le bacon est utilisé dans les soupes en vue de rehausser leur saveur. On peut se le procurer en tranches (fines ou coupées en lardons) ou en bloc. Il y a du bacon fumé ou non, et dans diverses coupes, comme le bacon de dos maigre ou le bacon régulier gras. Il est l'ingrédient principal du Bouillon classique irlandais au bacon.

Pancetta

La pancetta provient de la poitrine du porc et est préservée avec du sel et des épices. On la consomme crue, en tranches très fines, ou dans des recettes. On peut la substituer au bacon dans les soupes, notamment dans le Velouté de bacon et de pois chiches avec croustilles de tortillas.

Bœuf, agneau et porc

Certaines recettes de soupe demandent du bœuf, de l'agneau ou du porc. Non seulement la viande confère de la saveur à la soupe, mais elle contribue aussi grandement à sa valeur nutritive étant donné sa teneur importante en protéines. Lors de la préparation d'une soupe, choisissez les meilleures coupes de bœuf, d'agneau ou de porc, soit le bifteck, la côtelette ou le filet. La poitrine du porc, le cou de l'agneau ou le bœuf haché peuvent aussi convenir. Fiez-vous donc à la recette ou demandez l'avis de votre boucher. Les os servent également à la préparation des fonds.

Ci-dessus, de gauche à droite : *le poulet élevé en liberté, le poulet nourri de grains de maïs ou encore les poules biologiques donnent des fonds des plus savoureux.*

Poisson

Le poisson est l'aliment le plus facile et le plus rapide à cuisiner, en plus d'être un ingrédient idéal des soupes. En plus d'être savoureux, il est nutritif et constitue une excellente source de protéines faciles à digérer ainsi que d'autres nutriments importants comme les vitamines du complexe B.

Ci-dessus : *la morue se marie bien à la crème ou au lait dans les « chowders ».*

Ci-dessus : *la truite constitue un substitut savoureux au saumon dans les soupes.*

QUELS POISSONS ACHETER

Les poissons blancs comme l'aiglefin, la morue, la lotte et le ballot, de même que les poissons gras, dont le maquereau, le flétan et le saumon, entrent dans la préparation de soupes originales. Le poisson fumé, comme la morue fumée ou l'aiglefin fumé, donnent aussi des soupes débordant de saveur. La texture des soupes de poisson varie d'un bouillon clair aromatique à une bouillabaisse épaisse et rassasiante, et il demeure possible d'adapter les recettes de soupes aux poissons de la saison. De préférence, achetez du poisson frais qui présente une chair ferme. Il y a sur le marché une grande variété de poissons de mer ou d'eau douce et de poissons importés. Bien que certains poissons soient offerts pour une durée limitée, d'autres se trouvent toute l'année sur les tablettes des poissonneries, des supermarchés et des marchés locaux.

Poissons de mer ronds

Il s'agit d'un groupe important de poissons, entre autres la morue, l'aiglefin, le merlan, le maquereau, la lotte et le colin noir, ainsi que des variétés plus exotiques comme le sparidé, le vivaneau et le

Ci-dessus : *l'aiglefin fumé s'achète entier, en filets (ici illustré) ou en fines tranches.*

poisson-perroquet. Vous pouvez vous procurer le poisson entier ou en filets, en escalopes ou en darnes. Il suffit de les tailler en gros morceaux pour obtenir des soupes plus consistantes. Ces poissons se marient bien aux saveurs robustes des épices, des fines herbes, du bacon, des olives et des câpres.

Poissons de mer plats

Parmi les exemples connus figurent la plie, le poisson de tape, le turbot, la sole et la raie. Ces poissons se vendent entiers ou en filets. Ils doivent être très frais, sinon ils perdent de leur saveur. Ils cuisent rapidement et sont délicieux dans les soupes plus légères.

Poissons d'eau douce

Ces poissons, dont le saumon, la truite et la carpe, vivent dans l'eau douce des rivières et des lacs. On peut se les procurer entiers, en filets ou en darnes. Le saumon est riche et il en faut peu pour confectionner une soupe. Malgré sa chair grasse, il faut éviter de trop cuire le saumon au risque d'altérer sa saveur et sa texture.

Poissons fumés

On fume le poisson à froid ou à chaud. L'aiglefin, la morue, le saumon, le maquereau, la truite et le hareng figurent parmi les poissons fumés qui sont succulents dans les soupes comme les chaudrées quand on recherche un goût plus prononcé.

Pourquoi le poisson est-il bon pour la santé ?

Les poissons à chair blanche dépiautés, comme la morue et la lotte, sont faibles en gras. Les poissons gras comme le saumon, la truite ou le maquereau ont une teneur élevée en oméga-3, un gras bon pour la santé. Il est recommandé de consommer du poisson gras au moins une fois par semaine. Ces poissons sont aussi une excellente source de vitamines du complexe B ainsi que des vitamines A et D.

Fruits de mer

Presque tous les fruits de mer sont comestibles, depuis les palourdes jusqu'aux escargots de mer à coquille tranchante et aux pétoncles miniatures. Les fruits de mer sont meilleurs frais et en saison, quoique les produits surgelés fassent de bons substituts. Les crustacés et les mollusques se prêtent à merveille aux soupes.

Crevettes

Il existe une grande variété de crevettes. Les plus petites sont rosées ou brunâtres. Il y a ensuite les crevettes à saveur délicate, puis les plus grosses, qui deviennent rouges à la cuisson. Les plus savoureuses sont les crevettes géantes qui ont une saveur et une texture superbes. Il y a aussi les crevettes mantes ou les « cicala di mare/cigales de mer » qui ressemblent à un petit homard plat.

Crustacés et mollusques

Le crabe, le homard et les écrevisses orange vif sont tous des crustacés. Le calmar et la seiche sont des mollusques dont la coquille se trouve à l'intérieur du corps.

Crabe

Il y a des douzaines de variété de crabes, depuis les crabes géants bien connus jusqu'aux petits crabes des littoraux qui ne sont consommés qu'en soupe. La chair de crabe, fraîche ou en boîte, sert à la confection de nombreuses soupes.

Ci-dessous : *le vanneau est plus petit et moins coûteux que les pétoncles géantes. En revanche, il a la même saveur.*

Éveinage des crevettes

Les grosses crevettes crues sont souvent pelées avant la cuisson. Il faut en retirer l'intestin avant de les faire cuire. On appelle cette technique « éveinage ». L'éveinage n'est pas nécessaire pour les petites crevettes.

1. Arracher la tête et les pattes de chaque crevette. Décortiquer la crevette. Laisser la queue en papillon si on le désire.

2. Pour enlever la veine intestinale, faire une entaille peu profonde au centre du dos de la crevette, de la tête à la queue, à l'aide d'un petit couteau tranchant.

3. Retirer la veine noire qui s'étend le long de la crevette à l'aide de la pointe du couteau, puis la jeter.

Ci-dessus : *le tourteau ou crabe brun regorge de chair savoureuse qui sert à la préparation de délicieuses soupes.*

Pétoncles

Les pétoncles sont disponibles presque toute l'année, mais elles sont à leur meilleur l'hiver alors que leurs œufs sont abondants et fermes. Essayez de toujours vous procurer des pétoncles avec leur corail. Vous pouvez les acheter sans leur coquille, ce qui vous épargnera du temps au nettoyage. Autrement, vous devrez retirer tous les filaments et les parties foncées du pétoncle avant sa cuisson et sa consommation. Les pétoncles figurent parmi les ingrédients exotiques de soupes comme la Chaudrée (chowder) aux fruits de mer, la Soupe aux pétoncles et aux artichauts de Jérusalem et la Soupe provençale aux fruits de mer.

Homard

Voici le fruit de mer par excellence. Sa chair a une saveur hors pair tout à fait délicieuse dans les soupes. Achetez des homards vivants ou bouillis frais. Et pour apprécier davantage la supériorité de ce crustacé, faites l'essai de la bisque de homard garnie de double-crème (épaisse).

Calmars et seiches

Ces deux mollusques ont pratiquement le même goût. Toutefois, la seiche a une tête plus grosse et un corps plus large doté de tentacules plus robustes. Une fois l'os enlevé, il reste une chair très tendre. Les calmars possèdent un fourreau transparent. Le calmar et la seiche possèdent l'un et l'autre 10 tentacules. Le calmar est plus couramment utilisé dans les soupes.

Il faut faire cuire le calmar et la petite seiche peu de temps, juste le temps qu'ils deviennent opaques, sinon ils seront durs et caoutchouteux. Les spécimens plus gros requièrent une cuisson lente pour que leur chair reste tendre; ils sont alors parfaits pour certaines soupes.

Moules

Ces mollusques ont une texture lisse et un goût léger. Les moules entrent dans la confection de soupes aussi bien entières que décoquillées. Elles font de belles garnitures lorsqu'elles sont cuites, puis servies dans leur coquille ouverte. Faites l'essai de la Soupe de moules parfumée au safran. La chair des moules d'élevage est plus consistante et plus savoureuse que celle des moules sauvages. En outre, ces moules sont plus faciles à nettoyer.

Palourdes

Il existe différentes variétés de palourdes, depuis les petites au coquillage lisse jusqu'aux palourdes effilées à coquille tranchante. Il y a aussi la palourde Vénus à jolie coquille striée. En général, les palourdes ont une saveur légère et une texture un peu caoutchouteuse. Comme leur taille varie grandement, il vaut mieux vous renseigner auprès de votre poissonnier quant à la quantité requise pour une soupe ou une recette donnée.

Préparation du calmar

Avant de commencer, bien rincer le calmar à l'eau froide courante.

1. Tenir la charpente fermement d'une main, puis prendre les tentacules à leur base de l'autre main. Tirer délicatement, mais fermement, la tête afin de la séparer de la charpente du calmar. Les entrailles jaunâtres suivront naturellement.

2. Couper les tentacules de la tête du mollusque à l'aide d'un couteau tranchant. Les réserver, mais jeter la partie dure du centre. Réserver le sac d'encre, puis jeter la tête.

3. Retirer la membrane qui couvre la charpente, puis enlever la « plume ». Rincer le calmar à l'eau froide courante, puis tailler le mollusque selon la recette.

Pâtes et nouilles

La vaste gamme de pâtes fraîches et sèches sur le marché assure l'embarras du choix au moment de faire cuire des pâtes. Les pâtes, surtout de petite taille, conviennent très bien aux soupes. Les nouilles, comme les pâtes, sont une bonne source de glucides et se prêtent bien à de nombreuses recettes de soupes savoureuses.

Pâtes pour soupes

Il existe des centaines de variétés de petites pâtes pour les soupes. Elles sont faites de blé dur, bien qu'on en trouve à base d'œufs, voire des pâtes aux épinards ou aux carottes.

Achat et stockage des pâtes

La qualité des pâtes varie. Privilégiez les pâtes italiennes de blé dur et achetez vos pâtes fraîches dans une épicerie fine italienne plutôt qu'au supermarché. Si vos pâtes fraîches

renferment du blé dur à 100 %, elles ont la même valeur nutritive que les pâtes sèches. Les pâtes sèches se conservent à peu près indéfiniment. Si vous les rangez dans un bocal, veillez toutefois à les utiliser toutes avant d'y ajouter de nouvelles pâtes.

Types de pâtes pour soupes

En Italie, on appelle les pâtes miniatures « pastina »; il y en a des centaines de variétés. Les Italiens les servent toujours dans des bouillons ou des soupes claires. Les formes des « pastina » varient grandement et sont de plus en plus imaginatives suivant les tendances du marché. Les plus petites « pasta per minestre » ou pâtes pour soupes sont minuscules et ont la taille de graines. Certaines ressemblent à du riz; ce sont les « risi » ou « risoni ». D'autres ont davantage l'apparence de l'orge et portent le nom d'« orzi ». Les « fregola » de Sardaigne rappellent le couscous, avec les mêmes saveur et

texture de noisette. Les pâtes « semi di melone » sont semblables aux graines de la pastèque et les « ancine di pepe » ou « peperini » tirent leur nom des grains de poivre, car elles en ont la taille et la forme, sinon la couleur. Les « coraline », les « gratini » et les « occhi » sont trois autres variétés miniatures très populaires.

Les pâtes légèrement plus grosses sont les préférées des enfants. Il s'agit entre autres des « alfabeti » ou « alfabetini » (lettres de l'alphabet), des « steline » ou « stellete » (étoiles), des « rotellini » (petites roues de chariot) et des « anellini » qui ont souvent la forme de petits anneaux, parfois enjolivés de cannelures, ou d'anneaux plus gros. Les « ditali » ont la forme des « anellini », mais sont plus épais, et les « tubettini » le sont encore plus.

Une autre catégorie de pâtes pour soupes comprend des pâtes plus grosses, mais qui sont des versions réduites de pâtes populaires. Leurs noms ont une terminaison en « ine », en « ette » ou en « etti », qui a un sens diminutif. Les « conchigliette » ou petites coquilles, les « farfalline » et « farfallette » (petites boucles), les « orecchiettini » (petites oreilles), les « renette » (penne miniatures) et les « tubetti » (minuscules tubes) en sont quelques exemples. La taille de ces pâtes varie; les plus petites sont ajoutées aux bouillons ou aux soupes claires, alors que les plus grosses servent fréquemment à épaissir les soupes.

Ci-contre : *il y a de nombreuses formes de pâtes miniatures pour soupes.*

Ci-dessus : *les nouilles aux œufs rehaussent la saveur et la texture des soupes chinoises.*

Ci-dessus à droite : *les nouilles de riz sont à la base de nombreuses soupes asiatiques.*

À droite : *nul besoin de faire bouillir les nouilles cellophane.*

Nouilles

Les nouilles sont les aliments minute de l'Orient. Elles sont faites de farine de blé, de riz, d'ambérique ou de sarrasin. Les nouilles sèches sont très répandues et se conservent plusieurs mois dans un contenant hermétique. Il se vend des nouilles fraîches à peu près partout. On peut utiliser les nouilles dans un grand nombre de recettes savoureuses.

Nouilles de blé

Il existe deux types de nouilles de blé : nature et aux œufs. Les nouilles nature sont faites de farine et d'eau. Elles peuvent être de forme plate ou ronde et d'épaisseurs variées. Les nouilles aux œufs sont plus populaires que les nouilles de blé; elles se vendent fraîches ou sèches. Les nouilles chinoises ont aussi diverses épaisseurs. Les nouilles aux œufs très fines, semblables aux vermicelles, sont vendues emballées en portions individuelles sous forme de nid. On trouve de plus en plus des nouilles aux œufs à la farine de blé complet, plus nourrissantes, dans les grands supermarchés.

Les nouilles udon et ramen sont d'origine japonaise. Les nouilles udon sont épaisses, et peuvent être plates ou rondes. Elles se vendent fraîches, précuites ou sèches. Les nouilles udon de blé complet ont un goût plus relevé. Les nouilles ramen aux œufs sont vendues au Japon en forme de nid. On les fait cuire et on les sert avec un bouillon.

Nouilles de riz

Ces nouilles d'un blanc opaque sont fines et délicates. Elles sont faites de farine de riz. Tout comme les nouilles de blé, elles se trouvent en divers formats, depuis les nouilles très fines dites « vermicelle de riz », très populaires en Thaïlande et en Chine méridionale, aux nouilles de riz plus épaisses, plus répandues au Vietnam et en Malaisie.

Nouilles cellophane

Ces nouilles sont faites de farine de haricot « mungo ». Elles sont transparentes et il n'est pas nécessaire de les faire bouillir. Il suffit de les faire tremper dans de l'eau bouillante de 10 à 15 minutes. Elles conservent leur incroyable texture une fois cuites et ne deviennent jamais pâteuses.

Nouilles de sarrasin

Les nouilles de sarrasin sont connues sous le nom de « nouilles de soba ». Bien que leur couleur varie, elles sont habituellement plus foncées que les nouilles de blé, presque brun-gris. Au Japon, on les sert traditionnellement dans les soupes comme dans la Soupe épicée aux nouilles de soba avec tempura.

Fines herbes et épices

Les fines herbes proviennent de plantes aromatiques. On les utilise pour rehausser la saveur, la texture et la couleur d'un plat. On les cultive dans le monde entier depuis des siècles. Les fines herbes fraîches et séchées donnent leur goût et leur arôme délicieux à bon nombre de soupes chaudes ou froides.

Ci-dessus : *les soupes indiennes utilisent la coriande épicée.*

Ci-dessus : *l'estragon accompagne bien le poulet ainsi que les mollusques et les crustacés.*

Fines herbes

Les fines herbes peuvent transformer la saveur et l'arôme d'une soupe. Elles peuvent en outre égayer le plus simple des plats.

Aneth

La saveur anisée de l'aneth, à la fois douce et particulière, convient bien aux soupes, notamment à la soupe à l'oseille, aux épinards et à l'aneth.

Ci dessous : *le basilic est une herbe fort appréciée en cuisine italienne.*

Basilic

Cette herbe verte ou pourpre est très aromatique et est un classique des cuisines italienne et thaïlandaise. On l'ajoute à la dernière minute afin qu'elle conserve sa saveur unique. Les feuilles se meurtrissent facilement; il est donc préférable de les consommer entières ou de les déchirer, plutôt que de les ciseler au couteau.

Coriandre

La coriandre, chaleureuse et relevée, ressemble au persil italien plat, mais a un goût tout à fait différent.

Estragon

Cette petite plante vivace a de minces feuilles vertes. Son goût particulier rappelle un croisement entre l'anis et la menthe. Cette fine herbe est savoureuse dans des soupes de poulet, de crustacés ou de mollusques.

Feuilles de laurier

Les feuilles luisantes vert foncé du laurier sont mises à sécher quelques jours avant leur utilisation. Elles donnent une saveur robuste et relevée aux fonds et aux bouquets garnis.

Feuilles de lime kaffir

Les feuilles vertes et luisantes de la lime kaffir sont souvent utilisées dans les cuisines asiatiques et donnent un goût citronné aux soupes. On peut se les procurer fraîches dans les marchés asiatiques ou séchées dans les grands supermarchés.

Menthe

La menthe est une fine herbe à feuilles vert foncé très populaire. Son odeur et son goût relevé sont sans pareils.

Origan

L'origan est une variété sauvage de la marjolaine et sa saveur est plutôt robuste. Il est excellent dans les soupes à la tomate.

Persil

Il y a deux espèces de persil, soit le persil plat italien et le persil frisé. Les deux ont presque le même goût. Le persil est une bonne source de vitamine C, de fer et de calcium.

Thym

Cette fine herbe aromatique à saveur robuste est savoureuse dans les soupes à la tomate. Le thym est un élément essentiel des bouquets garnis classiques.

Épices

Les humains vénèrent les épices depuis des milliers d'années. Autant les graines, les fruits, les cosses, l'écorce et les bourgeons de ces plantes ajoutent de la saveur et de la couleur à l'ingrédient le plus modeste. En outre, leur arôme évocateur éveille l'appétit. L'ajout des épices relève le goût de toutes les soupes. Achetez les épices en petite quantité et conservez-les dans des contenants hermétiques.

Citronnelle

Les longues tiges fibreuses de la citronnelle dégagent un arôme d'agrume enivrant lorsqu'on les coupe. La citronnelle est très utilisée dans la cuisine de l'Asie du Sud-Est et s'intègre bien aux soupes de cette région.

Coriandre

Avec le cumin, la coriandre moulue est l'un des ingrédients principaux des poudres de cari et du « garam masala » de la cuisine indienne; dans le nord de l'Europe, les graines de couleur ivoire servent d'épices pour marinades. Ces graines ont en général une saveur robuste, mais douce, qui est plus prononcée que celle des feuilles fraîches. La coriandre déjà moulue perd rapidement sa saveur et son arôme. Il est donc préférable de se procurer les graines et de les écraser soi-même dans un mortier ou de les moudre. Avant de les moudre, les faire revenir légèrement dans un poêlon afin d'en rehausser la saveur.

Cumin

Le cumin est un ingrédient populaire des cuisines indienne, mexicaine, nord-africaine et du Moyen-Orient. Il confère une saveur et un arôme délicieux aux soupes. Les graines ont une saveur robuste et un peu amère, légèrement atténuée par le rôtissage à sec. Les graines de cumin noires ont un goût sucré et moins corsé. Moulu, le cumin tend à devenir âcre. Il est donc préférable d'acheter les graines et de les moudre au moment de les utiliser.

Gingembre

Le rhizome de gingembre est piquant et très odorant. Choisissez un rhizome ferme, à pelure mince et sans taches. Évitez les rhizomes fanés ou desséchés, car ils risquent d'être secs et fibreux.

Piments

Il existe de nombreuses espèces de piments que l'on peut se procurer frais ou séchés, en poudre ou en flocons. La saveur du piment séché semble être plus piquante que celle de l'espèce fraîche, surtout dans le cas des flocons qui contiennent à la fois les graines et la chair du piment. Les meilleures poudres de chili ne contiennent pas d'ingrédients additionnels comme de l'oignon et de l'ail. Les nombreuses variétés de chiles se prêtent à toutes sortes de soupes.

Poivre

Le poivre est sans doute l'épice la plus ancienne et la plus utilisée. Il constitue un assaisonnement très polyvalent des soupes, car il fait ressortir la saveur des autres ingrédients.

Safran

Le safran est l'épice la plus coûteuse qui soit. Il s'agit des pistils séchés de Crocus sativus. Quelques pistils jaune vif suffisent pour conférer une merveilleuse couleur et une saveur délicate aux soupes de poissons et de crustacés ou de mollusques.

Sel

Il est préférable d'assaisonner les soupes à la dernière minute, juste avant de les servir. Ajoutez du sel un peu à la fois jusqu'à l'obtention de la saveur désirée.

À gauche, dans le sens des aiguilles d'une montre : *des grains de poivre noir et de poivre blanc, du cumin, des tiges de citronnelle et des grains de poivre rose.*

Instruments de cuisine

L'un des avantages de la préparation des soupes est qu'elle ne requiert que quelques instruments de base comme des couteaux tranchants, une planche à découper ainsi qu'une bonne casserole épaisse. Un robot culinaire ou un mélangeur peuvent être très utiles, mais il demeure possible d'écraser les ingrédients de certaines soupes à la main, jusqu'à consistance lisse.

Casserole épaisse

Choisissez une casserole épaisse de bonne qualité pour vos soupes. Une casserole qui conduit et retient bien la chaleur permet aux légumes de cuire plus longtemps sans brunir; ainsi, ils deviennent tendres sans changer de couleur. Si vous faites attention à votre santé, optez pour une casserole à revêtement antiadhésif de bonne qualité. Cela vous permettra de réduire la quantité de beurre ou d'huile des recettes.

Éplucheur

La façon la plus rapide de peler un légume est d'utiliser un éplucheur à pivot. Par exemple, coupez les deux extrémités d'une carotte, tenez-la d'une main puis faites glisser l'éplucheur de votre main vers l'extrémité de la carotte en tournant cette

Ci-dessus : *un fouet ballon.*

dernière à mesure que vous la pelez. Un éplucheur à julienne permet de tailler les légumes comme la carotte et la courgette en fins bâtonnets. Les légumes en julienne font de belles garnitures d'allure professionnelle pour les soupes froides ou chaudes.

Cuillères en bois

Utilisez des cuillères en bois pour remuer vos soupes. Elles n'endommagent pas le fond de la casserole, ce qui est d'autant plus important avec les casseroles à revêtement antiadhésif. Cependant, le bois absorbe les saveurs. Assurez-vous donc de bien laver et d'assécher la cuillère après son utilisation. Ne laissez pas la cuillère dans la soupe durant la cuisson.

Fouet

Il y a plusieurs formats de fouets. Pour ce qui est de la confection des soupes, le fouet ballon est le plus utile, notamment pour la Soupe

Ci-dessus : *deux types d'éplucheurs à légumes.*

de poisson avec rouille et la Soupe de fruits de mer au safran. Il est très pratique lorsqu'il faut incorporer rapidement des ingrédients comme les œufs et la crème, qui risquent de cailler, ou la farine, qui peut former des grumeaux.

Ciselage des fines herbes fraîches

Rincer les herbes et les assécher doucement à l'aide d'un essuie-tout. Pour les herbes à tiges épaisses ou ligneuses, comme le romarin ou le thym, retirer les feuilles avec les doigts. Casser les tiges tendres des autres fines herbes, tels le persil ou la coriandre; on peut hacher les tiges de la partie supérieure.

Empiler les herbes sur une planche à découper et, à l'aide d'un couteau ou d'un ustensile tranchant, couper les herbes grossièrement. Remettre en pile et continuer à couper. Hacher aussi fin que désiré. Maintenir le bout de la lame contre la planche à découper tout en faisant basculer le reste de la lame contre la planche.

Vous pouvez aussi faire l'emploi d'une mezzaluna, d'un mot italien qui signifie « demi-lune ». Il s'agit d'une lame courbée munie de poignées à chaque extrémité. Trancher les herbes en appliquant un mouvement de berceuse. Utiliser les fines herbes dès qu'elles sont coupées.

Ci-dessus : *un mouli-légumes.*

Ci-dessus : *un mélangeur manuel.*

Ci-dessus : *un robot culinaire.*

Mouli-légumes

Le mouli-légumes, un instrument de cuisine de France, permet de mettre des aliments en purée à la main. Il s'agit d'un croisement entre un tamis (passoire) et un moulin à légumes. On le dépose sur un récipient. Il est muni d'une lame à manivelle qui pousse la soupe à travers le tamis en retenant les ingrédients solides. Il permet aussi de hacher les solides finement ou grossièrement.,

Mélangeur

Le mélangeur manuel est un merveilleux appareil qui vous permet de mettre la soupe en purée à même la casserole. Il est facile d'en contrôler la vitesse afin d'obtenir la consistance désirée. Il faut toutefois faire attention si on l'utilise dans une casserole à revêtement anti-adhésif et ne jamais laisser les lames toucher le fond ou les parois de la casserole, car elles peuvent endommager la surface.

Robot culinaire ou mélangeur

Le robot culinaire et le mélangeur sont les deux instruments les plus utilisés pour réduire les soupes en purée. Ils sont tous deux rapides et efficaces, même si le robot culinaire donne une purée moins lisse que le mélangeur. Pour certaines recettes, il sera nécessaire de faire passer les aliments à travers un tamis à la sortie du robot culinaire. Certains robots culinaires comportent un accessoire à liquéfier qu'on peut fixer au contenant principal. Pour la plupart des soupes qui demandent de mettre des ingrédients en purée, il suffit d'écraser ces derniers à la main (voir l'encadré à gauche).

Les robots culinaires et les mélangeurs sur pied permettent aussi de hacher et de trancher les légumes pour des « salsas » ou des garnitures. La plupart des modèles comportent des pièces et des lames conçues pour déchiqueter et râper les aliments.

Passer les aliments à travers un tamis

Le champignon en bois, semblable à un gros pilon plat, est utile pour pousser les aliments à travers un tamis et obtenir une purée si vous ne possédez pas de robot culinaire ou de mélangeur. Le dos d'une grosse cuillère ou d'une louche fonctionne également. Cette méthode est utile pour retirer les graines des tomates une fois cuites.

La préparation d'un fond

Les fonds frais sont indispensables à la confection de soupes maison nourrissantes. Ils apportent une saveur qu'on ne saurait obtenir avec de l'eau. En outre, ils permettent de faire bon usage des restes.

Bien qu'on trouve maintenant des fonds ou des bouillons frais en contenant au supermarché, ils peuvent s'avérer dispendieux, surtout s'il en faut une grande quantité. Faire son propre fond est très facile et beaucoup plus économique. Le fait d'employer des ingrédients frais le rend plus savoureux et nourrissant. Bien sûr, il y a d'autres options, comme les fonds en cubes, en granules ou en poudre. Le cas échéant, vérifiez l'assaisonnement, car ces produits contiennent en général beaucoup de sel. Optez pour des produits allégés en sel.

Utilisez un fond ou un bouillon approprié à la recette. La soupe à l'oignon, par exemple, sera d'autant plus savoureuse si on la fait à partir d'un fond de bœuf de qualité. En revanche, employez toujours un bouillon de légumes si vous cuisinez pour des végétariens.

Vous trouverez ici des recettes de bouillon de légumes, de fonds de poisson, de poulet, de viande de même que des recettes de fonds pour la cuisine chinoise et la cuisine japonaise.

Surgélation des fonds et bouillons

Penser à surgeler les fonds et les bouillons dans des bacs à glaçons afin de toujours en avoir sous la main. Ils se conservent jusqu'à 3 mois au congélateur.

Fond de viandes

La réussite des soupes à la viande repose sur l'utilisation d'un bon fond maison. Si vous manquez de temps, les cubes instantanés feront l'affaire, mais un fond frais donne beaucoup plus de saveur. Cela vaut donc la peine de prendre le temps de faire son propre fond. Le fond de viandes se conserve jusqu'à 4 jours au réfrigérateur et jusqu'à 3 mois au congélateur.

DONNE ENVIRON 2 L (8 TASSES)

1,8 kg (4 lb) d'os de bœuf comme l'échine, les pattes ou le cou, ou des os de veau ou d'agneau en sections de 6 cm (2 1/2 po)

2 oignons non pelés, en quartiers

2 carottes en gros morceaux

2 côtes de céleri, avec les feuilles si possible, en gros morceaux

2 tomates en gros morceaux

4,5 l (18 3/4 tasses) d'eau froide

1 grosse poignée de brins de persil

Quelques brins de thym frais ou 5 ml (1 c. à thé) de thym séché

2 feuilles de laurier

10 grains de poivre noir écrasés

1. Préchauffer le four à 230 °C (450 °F). Faire rôtir les os, en les tournant de temps à autre, pendant 30 minutes ou jusqu'à ce qu'ils commencent à dorer.

2. Ajouter les oignons, les carottes, le céleri et les tomates, et les enduire du gras fondu dans la casserole. Poursuivre la cuisson de 20 à 30 minutes jusqu'à ce que les os aient bruni. Remuer et badigeonner de temps à autre.

3. Transférer les os et les légumes rôtis dans une grande casserole. Retirer le gras de la rôtissoire, ajouter un peu d'eau et porter à ébullition sur la cuisinière en remuant afin de décoller les sucs de cuisson. Verser ensuite ce liquide dans la casserole.

4. Mettre le reste de l'eau dans la casserole. Porter à ébullition en écumant fréquemment. Ajouter le persil, le thym, les feuilles de laurier et les grains de poivre.

5. Couvrir partiellement et laisser le fond de bœuf mijoter de 4 à 6 heures. Les os et les légumes doivent être couverts de liquide. Ajoutez de l'eau bouillante au besoin.

6. Passer le fond au tamis, puis dégraisser la surface le plus possible. Refroidir puis réfrigérer. Le gras figera en surface et sera alors facile à retirer.

Fond de poulet

Rien ne vaut un bon fond de poulet maison. Ajoutez les abats du poulet (sauf le foie) et les ailerons si vous les avez. Le fond de poulet se conserve 3 ou 4 jours au réfrigérateur et jusqu'à 3 mois au congélateur.

DONNE ENVIRON 2,5 L (10 TASSES)

1,2 ou 1,3 kg (2 1/2 ou 3 lb)
de morceaux de poulet ou
de dinde (ailerons, dos et cou)
2 oignons non pelés, en quartiers
15 ml (1 c. à soupe) d'huile d'olive
4 l (16 tasses) d'eau froide
2 carottes en gros morceaux
2 côtes de céleri, avec les feuilles si
possible, en gros morceaux
1 petite poignée de brins de persil
Quelques brins de thym frais
ou 5 ml (1 c. à thé) de thym séché
1 ou 2 feuilles de laurier
10 grains de poivre noir écrasés
légèrement

1. Déposer les ailerons, le dos et le cou de poulet dans une grande casserole avec les oignons et l'huile d'olive.

2. Faire cuire à feu moyen en remuant de temps à autre jusqu'à ce que les morceaux de poulet et les oignons soient uniformément dorés.

3. Ajouter l'eau et bien remuer pour incorporer les sucs de cuisson collés au fond de la casserole. Porter à ébullition et écumer pour retirer les impuretés à mesure qu'elles remontent à la surface.

4. Ajouter les carottes, le céleri, le persil frais, le thym, une ou deux feuilles de laurier et les grains de poivre. Couvrir partiellement et laisser mijoter pendant 3 heures.

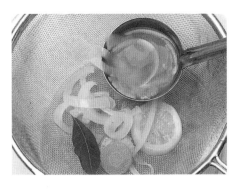

5. Tamiser le fond dans un récipient. Jeter les os de poulet et les légumes. Laisser refroidir, puis mettre au réfrigérateur pendant 1 heure.

6. Une fois le fond refroidi, enlever le gras à la surface. Le fond est prêt. Porter à ébullition avant son utilisation.

Fond de poisson

La préparation du fond de poisson est plus rapide que celle des fonds de poulet ou de viande. Demandez à votre poissonnier des têtes, des os et des restes de poissons à chair blanche. Les carapaces de homards ou de crabes (récupérées après la cuisson et l'évidement) peuvent remplacer les restes de poissons à chair blanche et donneront un excellent fond avec des oignons, des côtes de céleri, des carottes, du citron, du vin blanc ou du vinaigre de vin blanc et des fines herbes comme le persil, les feuilles de laurier et les grains de poivre.

DONNE 1 L (4 TASSES)
675 g (1 1/2 lb) de têtes, d'os et de restes de poissons à chair blanche
1 oignon en tranches
2 côtes de céleri avec les feuilles, hachées
1 carotte en tranches
1/2 citron en tranches (facultatif)
1 feuille de laurier
Quelques brins de persil frais
6 grains de poivre noir
1,35 l (6 tasses) d'eau froide
150 ml (2/3 tasse) de vin blanc sec

1. Bien rincer les têtes, les os et les restes de poissons sous l'eau froide courante. Déposer dans une casserole avec les légumes et le citron, si désiré, ainsi que les fines herbes, les grains de poivre, l'eau et le vin. Porter à ébullition en écumant la surface fréquemment. Réduire le feu et laisser mijoter 25 minutes.

2. Passer le fond au tamis en pressant les légumes contre la passoire. Utiliser immédiatement ou laisser refroidir et réfrigérer. Se conserve 2 jours.

Fond pour la cuisine chinoise

Un fond bien assaisonné est un bon point de départ pour toute soupe, et il est idéal pour la préparation des soupes asiatiques ou de recettes qui requièrent du liquide. Il y a habituellement de la viande ou du poulet dans les fonds employés dans les recettes chinoises. Réfrigérez le fond une fois refroidi. Il se conserve jusqu'à 4 jours. Sinon, on peut le surgeler dans de petits contenants, des sacs en plastique ou même des bacs à glaçons, et ce, jusqu'à 3 mois, et en dégeler au besoin. Assurez-vous de bien identifier le fond.

DONNE 2,5 L (10 TASSES)
675 g (1 1/2 lb) de poulet en morceaux
675 g (1 1/2 lb) de côtes levées de porc
3,75 l (15 tasses) d'eau froide
3 ou 4 morceaux de gingembre frais, non pelés et écrasés
3 ou 4 oignons verts, chacun formant un nœud
45 à 60 ml (3 à 4 c. à soupe) de vin de riz chinois ou de sherry (xérès) sec

1. À l'aide d'un couteau tranchant ou d'un couperet à viande, enlever tout excès de gras des morceaux de poulet et des côtes levées, puis tailler la viande en petits morceaux.

2. Déposer le poulet et les côtes levées dans une grande casserole et ajouter l'eau. Incorporer le gingembre et les oignons verts noués.

3. Porter le fond à ébullition et écumer la surface. Réduire le feu et laisser mijoter à feu doux, sans couvercle, de 2 à 3 heures.

4. Passer le fond au tamis et jeter le porc, le poulet, le gingembre et les oignons verts. Ajouter le vin de riz chinois ou le sherry (xérès) sec, puis laisser mijoter de 2 à 3 minutes.

Bouillon de légumes

Ce bouillon très polyvalent fait une excellente base tant pour les soupes aux légumes que pour les soupes à la viande, au poulet ou de poissons. Une fois le bouillon tamisé, assurez-vous de le faire refroidir rapidement (en le plaçant sur un plat d'eau froide), puis réfrigérez-le. Portez toujours le bouillon à ébullition avant de l'utiliser.

DONNE 2,5 L (10 TASSES)
2 poireaux en gros morceaux
3 côtes de céleri en gros morceaux
1 gros oignon, non pelé, en gros morceaux
2 morceaux de gingembre frais
1 poivron jaune haché
1 panais haché
Tiges de champignons
Pelures de tomates
45 ml (3 c. à soupe) de sauce de soja
3 feuilles de laurier
1 bouquet de persil
3 tiges de thym frais
1 brin de romarin frais
10 ml (2 c. à thé) de sel
Poivre noir du moulin
3,5 l (15 tasses) d'eau froide

1. Déposer tous les ingrédients dans une grande casserole. Porter à ébullition, puis réduire le feu et laisser mijoter 30 minutes en remuant de temps à autre.

2. Laisser refroidir, égoutter, puis jeter les légumes. Le bouillon est prêt.

Fond pour la cuisine japonaise

Le « dashi » est l'ingrédient qui confère son parfum caractéristique à la cuisine japonaise. Ce fond est connu sous le nom de « Ichiban-dashi ». Il parfume légèrement les plats cuisinés. Si le temps presse, essayez un « dashi » instantané vendu dans tous les marchés d'aliments japonais, soit sous forme de poudre, de concentré ou de sachets. Suivez les directives sur l'emballage du produit.

DONNE ENVIRON 800 ML (3 1/2 TASSES)
10 g (1/4 oz) d'algues « kombu » séchées
10 à 15 g (1/4 à 1/2 oz) de flocons
de « bonito » séchés

1. Essuyer les algues « kombu » à l'aide d'un chiffon humide et y faire deux entailles au moyen de ciseaux. Cela permet de bien parfumer le fond.

2. Laisser les algues « kombu » tremper dans 900 ml (3 3/4 tasses) d'eau de 30 à 60 minutes.

3. Faire chauffer les algues « kombu » à feu moyen dans leur eau de trempage. Retirer les algues juste avant l'ébullition. Ajouter les flocons de « bonito », porter à ébullition à feu élevé, puis retirer la casserole du feu.

4. Laisser le fond reposer jusqu'à ce que tous les flocons de « bonito » tombent au fond de la casserole. Tapisser un tamis d'un essuie-tout et le placer au-dessus d'un grand contenant. Tamiser le fond. Utiliser au besoin ou faire refroidir et réfrigérer jusqu'à 2 jours.

Épaississement des soupes

Les soupes n'ont pas toutes besoin d'être épaissies; les soupes mises en purée, par exemple, ont déjà la consistance idéale. Les légumes comme les pommes de terre, les oignons et les carottes, une fois cuits puis mis en purée, jouent le rôle d'épaississant. Toutefois, si vous devez épaissir une soupe, employez l'une des méthodes suivantes.

Beurre manié

Cette pâte lisse à base de farine et de beurre s'utilise à la fin de la cuisson de la soupe. On combine des quantités égales de farine et de beurre et on ajoute une petite cuillerée de ce mélange à la soupe. Le beurre fond, puis libère les particules de farine sans former de grumeaux. On fouette afin d'incorporer complètement le beurre manié avant d'en ajouter d'autre. On porte la soupe à ébullition et on la laisse mijoter environ 1 minute, afin de la faire épaissir et d'éliminer le goût de farine.

Crème

La double-crème (épaisse) sert à épaissir les soupes plutôt légères comme le velouté à l'oignon ou la soupe aux pois et aux asperges. Il faut toujours l'ajouter vers la fin de la cuisson, puis faire chauffer doucement la soupe afin de la faire réduire, épaissir et réchauffer. Ne pas laisser bouillir, sinon la crème pourrait cailler.

Amandes moulues

Utilisées pour épaissir la soupe, les amandes moulues donnent de la saveur et de la texture à la soupe. Elles ne produisent pas une consistance lisse comme le font la farine ou la fécule de maïs, par exemple. Au contraire, elles ajoutent du corps, de la texture, de la saveur et de la richesse à la soupe.

Fécule de maïs ou marante

Ces farines fines délayées dans de l'eau (deux parties d'eau pour une partie de farine) forment une pâte lisse et épaisse, mais fluide. Incorporez cette pâte dans la soupe et laissez mijoter jusqu'à épaississement.

La fécule de maïs met environ 3 minutes à épaissir et perdre son goût de farine. La marante, pour sa part, épaissit au point d'ébullition et risque de s'éclaircir si on la laisse mijoter trop longtemps, ce qui est à éviter. La fécule de maïs devient opaque à l'ébullition, alors que la marante est transparente. La marante convient donc pour épaissir des soupes et des liquides clairs.

Chapelure

La façon la plus rustique d'épaissir une soupe est d'utiliser de la mie de pain fraîche en chapelure. On peut la faire griller avant de l'incorporer à la soupe qui mijote. Vous pouvez aussi l'ajouter au moment de servir.

Œufs

Les œufs battus, les jaunes d'œufs ou un mélange d'œufs et de crème sont utiles pour enrichir une soupe, en plus de l'épaissir légèrement. Fouettez les œufs dans la soupe fumante, mais ne laissez pas bouillir la soupe après leur ajout, sinon ils cailleront.

Ci-dessus : *préparation du beurre manié.*

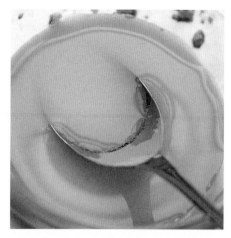

Ci-dessus : *de la fécule de maïs délayée dans de l'eau.*

Ci-dessus : *l'ajout de chapelure.*

Garnitures

Idéalement, les garnitures doivent être agréables à regarder, se manger et compléter la saveur de la soupe tout en y mettant la touche finale. Entre autres, on peut déposer des fines herbes ciselées sur la soupe ou les y incorporer juste avant de servir. Voici quelques garnitures courantes de même que d'autres, plus recherchées.

Fines herbes

Déposer une poignée de fines herbes ciselées sur une soupe au moment de la servir peut lui donner fière allure. Un bouquet de ciboulette apporte une touche de délicatesse. Coupez de 5 à 6 brins de ciboulette en sections d'environ 6 cm (2 1/2 po) de longueur et liez-les à l'aide d'un autre brin de ciboulette.

Croûtons frits

Ce classique est réalisé avec du pain ordinaire ou parfumé. Il ajoute tant de la texture que de la saveur à la soupe. Taillez du pain en petits dés et faites-les frire dans un peu d'huile, jusqu'à ce qu'ils soient dorés, en remuant sans arrêt. Essorer sur un essuie-tout.

Biscottes grillées

Garnies de fromage grillé, les biscottes sont non seulement alléchantes, mais elles conviennent à toutes les soupes. Faites griller de petites tranches de baguette des deux côtés. Vous pouvez frotter la biscotte avec une gousse d'ail coupée en deux, puis la parsemer de fromage cheddar ou parmesan râpé, ou encore d'un fromage bleu comme le Stilton ou d'un morceau de chèvre. Placez sous le gril le temps que le fromage fonde.

Échalotes frites

Les échalotes tranchées fin sont une garniture facile à réaliser pour les soupes lisses aux lentilles et aux légumes. Coupez-les en travers pour former des anneaux, puis faites-les frire jusqu'à ce qu'elles soient croustillantes.

Croustilles

Faites l'essai des croustilles de pommes de terre ou de tortillas du commerce en guise de garniture croquante. Ou encore faites vos propres croustilles. De fines tranches de betteraves, de citrouille ou de panais frites dans de l'huile fumante pendant quelques minutes font des croustilles délicieuses et originales.

Légumes en julienne

Une façon efficace d'ajouter de la couleur à vos soupes est de couper vos légumes en julienne, en bâtonnets de la taille d'une allumette. Les oignons verts et les piments, rouges ou verts, font de très belles garnitures.

Spirale de crème

Une spirale de crème simple ou de crème aigre (sure) donne à toute soupe une apparence digne des meilleurs restaurants.

1. Mettre la crème dans un pot à crème avec un grand bec verseur. Verser la crème en spirale à la surface de la soupe.

2. À l'aide d'un mince bâtonnet en bois, tracer rapidement des traits à travers la crème afin de créer un joli motif. Servir immédiatement.

Ci-dessus : *biscottes grillées*

Ci-dessus : *légumes en julienne*

Index